Scarlet
스칼렛

Scarlet

스카-렛

선본남자

단영 장편 소설

선본남자

2

Scarlet
스칼렛

Contents

6.
섬

니가 가라, 하와이.

—친구(2001) 中—

두 쌍의 눈동자가 동시에 데구르르 구르고 있었다.

이리로 가면 이리로, 저리로 가면 저리로, 서면 위로, 앉으면 아래로. 누가 시킨 것도 아닌데 마치 엉덩이에 붙은 꼬리들처럼 내가 움직일 때마다 동서남북, 위아래를 안 가리고 자동으로 따라붙는다. 청소를 하거나, 빨래를 하거나, 심지어 설거지를 할 때조차 귀신같이 따라오는 것이 느껴져 안 그래도 소심한 마음이 점점 심각하게 불안해지고 있었다. 그렇다고 아예 눈을 감고 있으라고 할 수도 없고. 이거 어쩔까나.

"저, 저기 언니 이제 그만하세요."

대청소를 마치고 다 마른 할머님의 옷을 탁탁 털어 접고 있는 나를 아가씨가 힘겹게 말리고 나섰다.

"안 그래도 피곤할 텐데 하루 종일 너무 무리하는 거 같아서요."

"아유, 아니에요. 저 아직 쌩쌩해요. 이 정도는 만날 하고 살았는 걸요. 아, 이것만 다하고 나면 제가 맛있는 저녁 지어 드릴게요. 조금만 기다리세요, 아가씨."

"아, 아니 그게 아니라……."

"저녁은 뭘 먹을까요? 뭐가 좋을까요, 할머니?"

"으, 으응? 나야 아무거나 다 좋지만. 우리 큰 손부가 피곤할까 봐 걱정이여."

"에이, 전 괜찮다니까요. 아무 걱정 마시고 드시고 싶은 거 있으시면 뭐든 말씀만 하세요. 제가 다 만들어 드릴게요."

자신 있게 고개를 끄덕이며 나는 호언장담을 했다.

사실은, 내가 더 배가 고파서라도 뭐든 만들어 먹고 싶은 심정이었다. 아침에 그러고 고 사장의 집을 나선 이후 나는 길을 못 찾아서 자그마치 두 시간을 헤매고 다녔다. 골목은 왜 그리도 많고 길은 또 왜 그리 거미줄처럼 잘게도 뻗어 있는지 아무리 헤매도 큰길을 찾을 수가 없었더랬다.

차가 다니는 큰길도 못 찾고 고 사장네 집도 못 찾아서 나는 진정 빼도 박도 못하고 딱 도심 속의 미아가 되는 줄만 알

앉다. 마침 지나가는 사람에게 애원하듯 물어 간신히 택시를 잡아타지 않았다면 정말로 그렇게 되고도 남았을 것이다. 혹은 엉엉 울면서 내 손으로 경찰서에 전화를 했거나.

한바탕 헤매고 난 끝에 간신히 시장의 가게에 도착했을 땐 이미 점심때가 지나 있었다. 마침 쉬는 날이라 유난히 한산한 시장을 지날 때부터 나는 완전히 지친 상태였다. 그런데 불쑥 찾아온 나를 보고 잔뜩 당황하는 아가씨와 할머님을 본 순간 피곤 따위는 순식간에 사라지고 말았다.

"어, 언니! 이 시간에 여긴 어떻게…… 혼자 오셨어요?"

눈까지 휘둥그렇게 뜨고 두 사람은 나를 뜨악하게 바라보았다.

마치 못 올 곳엘 온 사람처럼 바라보는 바람에 나도 덩달아 당황해 하마터면 '지나가다 들렀다.'고 말할 뻔했다. 다행히 내가 넉살이 좋았기에 망정이지 안 그랬으면 말도 제대로 못하고 돌아섰을 것이다.

"큰오빠도 그래요. 왜 이런 날까지 출근을 하고 난리래. 누가 일벌레 아니랄까 봐 새 신부까지 내팽개치고……."

"전 괜찮은데요. 열심히 일하는 남자 멋있잖아요."

"멋있기는요. 하나도 안 멋있어요. 만날 바빠서 얼굴 보기도 힘들거든요. 출장 다니느라 그 넓은 집도 휑하니 비워 두고. 결혼하면 좀 덜할 줄 알았는데 당장 오늘부터 이럴 줄 누가 알았데요. 그나저나 언니한테 미안해서 어떻게 해요."

"미안하기는요. 전 괜찮다니까요? 여기서 아가씨랑 할머님이랑 지내면 되는 걸요."

사람 좋게 웃으면서도 나는 내심 죄책감을 느꼈다.

상황이 조금 난감해서 출근한 고 사장을 팔았지만 아예 처음부터 이러기로 하고 시집을 온 거라고 고백할 수도 없었다. 눈치를 보아하니 아가씨도, 할머님도 앞으로 내가 여기서 함께 살기로 했다는 사실 같은 건 전혀 모르고 있는 듯했다. 고사장이 퇴근하길 기다려 함께 왔다면 여차저차 설명이라도 할 수 있었을 테지만 그러기엔 이미 너무 늦어 버렸다.

"근데 큰오빠는 언제 오는 거지?"

아가씨가 가게 입구 쪽을 보면서 혼잣말처럼 중얼거렸다.

"언니 피곤한데 얼른 좀 오지. 오빠, 아직 퇴근 안 했을까요?"

"글쎄요. 많이 바빠 보이긴 했는데……."

"전화해 볼까요?"

"아, 아니요!"

아니, 바쁜 사람에게 뭐하러 전화질을 한다고 그러시오.

고 사장은 지금 아주 바쁠 게 틀림없소이다. 왜냐면 여자랑 같이 있을 테니까.

생각하는 순간, 아침에 보고 온 여자의 모습이 그림처럼 눈앞을 스쳐 갔다. 아직도 그 집에 있겠지? 엄청 울던데 괜찮으려나. 아니다, 분명히 괜찮을 거다. 다른 건 몰라도 고 사장에게 충분히 위로를 받을 테니까. 그래, 틀림없이 그럴 거다.

"전화……하지 마요?"

"네. 공연히 전화해서 일 방해하면 안 되잖아요. 아무튼 전 괜찮으니까 자꾸 신경 쓰고 그러지 마세요, 아가씨."

"그래도요."

"진짜예요. 저 하나도 안 피곤하고 여기 있는 것도 좋아요. 아가씨도 좋고 할머님도 좋고. 아, 우리 저녁으로 찜닭이나 해 먹을까요? 찜닭 어떠세요, 할머님?"

정말로 전화를 하면 어쩌나 싶어 나는 냉큼 말꼬리를 돌려 버렸다.

다 정리한 옷을 장에 넣어 두고 하루 종일 쓸고 닦아 윤기가 자르르 흐르는 방바닥을 한 번 더 훔친 다음 도망치듯 주방으로 나왔다. 그런 내 모습을 아가씨와 할머님이 걱정스러운 눈으로 바라보고 있었다.

아침 녘에 혼자 불쑥 찾아와 가게며 살림집을 하루 종일 쓸고 닦은 것으로도 모자라 빨래는 물론이고 온갖 자질구레한 것들까지 치우느라 부지런을 떠는 내 행동이 아무래도 이상하게 보이는 모양이었다. 어쩌면 결혼식 다음 날부터 혼자 남겨진 게 속상해서 이러는 거라고 생각하고 있을지도 모르겠다. 혹은 싸우고 나왔다고 여기는 중이거나.

그만큼 당황한 와중에도 의아해하는 기색들이 역력했다.

거기에 저녁때가 되었는데도 돌아갈 생각을 않자 정말로

걱정이 되기 시작했는지 거의 안절부절못하고 자꾸 내 눈치를 보는 거다. 여느 시누이 같으면 이리저리 부려 먹을 수 있다고 좋아할 텐데 우리 아가씨는 오히려 내가 일을 더할까봐 걱정하는 것처럼 보였다. 심지어는 내가 또 다른 일거리를 찾아낼 때마다 먼저 나서서 할 일을 빼앗으려고까지 들었다. 이렇게 선량한 시누이가 다 있다니 의외의 행운이었다.

"오빠가 걱정할 텐데……."

주방으로 슬쩍 들어오면서 아가씨가 말했다.

"언니, 여기 온다니까 오빠가 아무 말 안 해요?"

"무슨 말이요?"

"그냥……."

"따로 말할 게 뭐가 있겠어요? 며느리가 시댁 찾는 게 이상한 일도 아닌데. 걱정 마세요. 아무 말 없었어요. 대놓고 말은 안 해도 자기 식구 챙겨 주길 바라는 게 남자들 마음이 잖아요. 고 사장, 아니 은후 씨도 제가 여기 있는 거 좋아할 거예요. 혼자 있는 것보단 낫죠, 뭐."

"그럴까요?"

"그렇다니까요."

대강 간을 보면서 나는 호언장담했다.

아닌 게 아니라, 고 사장이야말로 내가 여기서 지내 주길 엄청 바라고 있을 것이었다. 애초부터 그럴 예정이기도 했거니와 그에겐 책임져야 할 여자도 있는 것 같으니까. 그리고 나도 여기서 지내는 것이 백만 배는 더 편했다. 적어도 할머님이랑 아가씨는 나를 싫어하지 않으니까.

지금이야 조금 어색해서 그러지만 함께 지내는 시간이 길어지면 두 사람도 이 상황을 자연스럽게 받아들이게 되지 않을까? 재벌 딸내미라는 신분이 있어 괜히 바쁜데다 무서운 남편을 데리고(?) 사느라 가끔밖에 들를 수 없는 동서도 있는 반면 나처럼 만날 집에 붙어사는 사람도 있어야 집안이 화목해지는 거라는 사실도 알게 될 테고 말이다. 그리하여 나는 아무런 걱정 없이 뚝딱 저녁상을 차려 내어 할머님이랑 아가씨 모시고 배가 부르게 먹어 댔다.

고 사장이 들이닥친 것은 설거지를 마친 내가 막 방바닥을 닦고 있을 때였다. 할머님 이부자리를 다시 봐 드리고 방을 정리하는 데 정신이 팔려서 나는 가게 문이 초고속으로 벌컥 열리는 것도 미처 알아채지 못했다.

"언니, 오빠 왔어요!"

이제야 안심이 된다는 듯 아가씨가 환하게 웃으면서 문 쪽을 가리켰다. 고 사장이 엄청 허탈한 얼굴로 서서 나를 바라보고 있었다. 짧은 순간 날카로운 시선이 머리끝부터 발끝까지 샅샅이 훑고 지나갔다. 어쩐지 눈빛이 상당히 거칠었다. 겉모습은 아침과 별로 달라진 게 없는데 분위기는 너무 사나워 마치 화가 난 사람처럼 보였다. 지은 죄도 없이 뜻 모를 불안감이 몰려와 가슴이 다 벌렁거렸다.

아니, 왜 그렇게 보시오. 안 그래도 시린데 왜 자꾸 새파랗게 날을 세우고 그러시오. 혹시 눈에 칼을 달았소? 설마, 지금 나를 때려죽이고 싶다는 뜻?

다행히 그의 눈빛은 금방 차분하게 가라앉았다.

상황을 이해한 것인지, 아니면 그냥 참기로 한 것인지는 모르겠지만 적어도 당장 때려죽일 것 같은 분위기는 사라졌다. 말없는 시선이 땀에 젖은 이마, 입고 있는 추리닝, 손에 든 걸레를 지나 한결 말끔해진 모습으로 이부자리에 기대앉은 할머님에게로 옮겨 갔다. 그제야 나는 간신히 입을 열 수 있었다.

"오, 오셨어요?"

왜 오셨소. 잘하고 있는지 보러 오셨소?

혹시 뒤꽁무니에 아침의 그 여자가 매달려 있으면 어쩌나 싶어 시선이 저절로 그의 등 뒤로 향했다. 다행히 그는 혼자 들어왔다. 나를 한 번 찐하게 노려본 것을 끝으로 그는 별다른 대꾸도 없이 큰 걸음으로 척척 들어와서는 반갑게 맞이하는 할머님과 마주 앉았다. 그러곤 잠시 안부를 살피듯 몇 마디 나누더니 금방 자리에서 일어서는 거다.

혹시 이것도 일상다반사였던가?

애써 온 보람도 없이 달랑 5분 만에 자리를 털고 일어서는 그의 모습을 할머님과 아가씨는 아주 당연하게 받아들였다. 저녁은 몰라도 차 정도는 내야 할 것 같아 부랴부랴 준비하고 있었는데 물이 끓기도 전에 그가 일어서는 바람에 나만 중간에서 이러지도 저러지도 못한 채 당황하고 있었다.

"가방 여기 있어요, 언니."

"네?"

"조심해서 가세요."

언제 찾아 들고 나온 건지 아가씨가 가방을 내밀었다.

"어서 가세요. 오빠 기다리잖아요."

"아, 아니 그게……."

나는 더 당황해서 어쩔 줄을 몰랐다.

여기서 지내기로 했는데 얼른 가라고 등을 떠밀면 나더러 어쩌라는 건가.

고 사장이 제대로 설명을 해 줄 줄 알았는데 기대와 달리 그는 그 부분에 대해서는 입도 안 떼고 그냥 일어섰다. 그래서 내가 알아서 해야 하나 고민하고 있는데 신발까지 다 챙겨 신고 벌써 가게 문 앞에 선 그가 또 나를 짝 노려보는 거다. 때마다 느끼는 거지만 정말 사람을 잡을 냉기였다.

"뭘 하는 겨. 어여 가."

"그래요. 어, 얼른 가세요, 언니."

그는 잡아먹을 듯 노려보고 아가씨는 등을 떠밀고 할머님은 잘 가라며 멀쩡한 한쪽 손을 팔랑팔랑 흔드셨다. 어떻게 해야 하는 건가. 정말로 이대로 고 사장을 따라나서야 하나? 분위기상 아무래도 그래야 할 것만 같아 나는 더더욱 당황하고 말았다. 혼란이 찾아왔다.

'산은 산이요 물은 물이고 고 사장은 그냥 고 사장인데 나는 대체 지금까지 뭘 한 거지?'

그가 직접 운전하는 차를 타고 다시 그 집으로 가면서 나는 머리통이 쪼개지도록 맹렬하게 생각했다. 대체 어떻게 돌아가는 상황인가. 그는 그 여자랑 살고 나는 식당에서 할머님이랑 같이 사는 게 아니었나? 설마하니 같은 집에서 셋이 같이 살자는 뜻은 아닐 거였다. 미치지 않고서야. 그렇다면 혹시……

"전화……."

"네?"

"전화, 왜 안 받았지?"

집 앞에 차를 세우면서 그가 물었다.

전화라. 그러고 보니 나에게도 일단은 핸드폰이라는 것이 있기는 했다. 별로 쓸 일이 없어서 요즘엔 거의 시계 대용으로 사용하고 있는 바로 그것.

나는 냉큼 가방을 뒤적거렸다. 그러곤 가방 구석 어디쯤에서 잔뜩 구겨져 있는(?) 핸드폰을 찾아내 두 손으로 공손히 그에게 바쳤다. 분위기가 하도 냉랭해서 무어라 대꾸라도 하면 한 대 칠 것 같아 반사적으로 한 행동이었다. 그가 싸늘한 눈으로 그것을 스윽 내려다보더니 한 손으로 폴더를 열었다.

까맣게 죽은 화면이 '너 왜 그래?'라고 말하듯 당당하게 얼굴을 내밀었다. 그의 손가락이 전원 버튼을 눌렀다. 푸른 불빛이 들어오기가 무섭게 이번엔 '배고파요.' 하는 소리가 들려왔다. 그리고 희미하게 보이는 건 '부재중 전화 7통'. 아, 네. 그러십니까. 어디에서 온 전화들일까 무심히 생각하다가 푹 내쉬는 한숨 소리에 정신이 번쩍 들었다.

"후우, 말도 없이 나갔다고 해서……."

말을 할 상황이 아니었소이다마는.

"하루 종일 거기에 있었던 건가?"

"네."

당연히 그래야 하는 건 줄 알고.

"전화하는 걸 잊은 거였나?"

"그게……."

할 필요를 못 느꼈다.

내가 식당으로 갈 거라는 사실을 이미 알고 있는 줄 알았으니까. 이 서울 바닥에서 윤미숙이 가방 들고 갈 데라곤 거기밖에 없다는 사실도. 근데 혹시 우리 같이 사는 거랍니까?

자연스럽게 내 가방을 받아 들고 척척 걸어가는 그를 뒤따르며 나는 또 안절부절못했다.

고 사장, 꼭 이렇게까지 해야 하는 것이오?

집이 워낙 넓으니 당연히 방도 많고 나 하나쯤 지낼 곳도 분명히 어딘가에는 있을 테지만 그래도 굳이 여기서 지내며 시장까지 왔다 갔다 할 필요는 없는 거 아니오? 사실은, 나 아직 지하철 타는 법도 모르는데. 더구나 당신 여자는 어쩌고? 아니, 그 여자 위로는 좀 해 줬소?

뭐라 설명할 수 없는 복잡한 기분에 사로잡힌 채 나는 반쯤 실성한 기분으로 그를 따라 집으로 들어섰다. 환하게 불이 켜져 있음에도 불구하고 이 넓은 집에선 인기척이 전혀 느껴지지 않았다. 아주머니들이야 퇴근을 했다고 치지만 다른 사람들은? 그 여자는? 고 사장, 혹시 왕따요?

무어라 말 좀 해 주었으면 좋겠는데 그는 내 가방을 검은 가죽 소파 위에 던져 놓고 그대로 주방으로 향했다.

그 모습을 보니 여자 문제 따윈 제쳐 두고 문득 저녁 식사는 했는지 궁금해졌다. 아침에 속이 많이 쓰렸을 텐데 해장국은 먹었는지. 일만 하느라 하루 종일 굶은 건 아닌지 조금 걱정도 되고. 냉장고에서 얼음물을 한 잔 따라 마시는 모습을 멍하니 보다 나는 슬그머니 다가가 물었다.

"저녁은 드셨어요?"

"……."

"안 드셨으면 차릴까요?"

"아니, 필요 없어."

"네에."

잔을 말끔히 비운 그가 조금 퉁명스럽게 대꾸했다. 그러더니 머리가 좀 아픈 듯 한손으로 이마를 꾹꾹 누르며 다시 말을 이었다.

"다음부터는 이런 일 없게 해. 전화 꼭 받으라고."

"네."

"전화하는 것도 잊지 말고."

"……네."

설마 걱정한 건가?

말도 없이 나간 여자가 저녁이 늦도록 들어오지도 않고 연락도 안 된다면 당연히 걱정이 되었을 거였다. 이게 보통 상황이고 우리가 그렇고 그런 사이라면 당연히 그렇게 생각했을 거란 얘기다. 하지만 알다시피 우리는 그럴 만큼 그리 우호적인(?) 관계가 아니었고 내 행방쯤은 당연히 그도 알고 있다고 여겼다. 적어도 내 입장에서는 그랬다.

오히려 이해가 안 되는 것은 지금의 이 상황이었다.

내가 왜 이 집에 있어야 하는 것인지 아직도 잘 모르겠다. 솔직히 여기에서 같이 살자고 할까 봐 무섭다. 나는 뿔난 고 사장이 무섭고 공룡처럼 큰 집도 무섭고 심지어는 도우미 아주머니들도 무서웠다. 사방이 두려운 이 심정을 누가 알아줄까나. 푹 한숨이 쏟아졌다. 그때였다.

무심히 고개를 돌리다 문득 나를 뚫어져라 보고 있는 고 사장과 눈이 마주쳤다. 아니, 정확히는 내 손을 뚫어져라 보고 있는 고 사장의 모습을 발견하고 나도 모르게 손을 들어 올리는 바람에 서로 시선이 마주치고 말았다. 그리고 거의 동시에 나는 그가 내 손을 집요하게 바라보는 이유를 깨달았다.

"아! 바, 반지요?"

그는 텅 빈 내 손가락을 보고 있었다.

아침까지만 해도 잘 끼워져 있던 결혼반지가 안 보이자 문득 행방이 궁금해진 것이리라. 그리하여 나는 얼른 달려 나와 또 수선스럽게 가방을 뒤져야 했다. 가방 깊숙한 곳, 깨끗한 손수건에 꽁꽁 싸여 있는 놈을 찾아내 공물 바치듯 두 손으로 공손하게 바쳤다.

"여기……. 일하다가 잃어버릴까 봐 무서워서요."

"……."

"안 그래도 돌려 드려야지 했어요. 비싼 거잖아요."

이번엔 그의 눈빛이 착 가라앉았다.

허탈한 듯도 하고 경악인 듯도 한 시커먼 눈빛이 칼처럼 날아와 명치에 박혔다. 쭈뼛 솜털이 곤두섰다.

"왜, 왜요?"

혹시 다이아몬드에 금이라도 갔나.

노려보는 눈빛이 하도 섬뜩해서 나는 황급히 반지를 살피는 척했다. 아무리 봐도 멀쩡한데 왜 저렇게 죽일 듯이 노려보는 건가. 맹세하지만 그리 오래 끼고 있지도 않았다. 아침에 잠깐 끼고 있다가 이 집을 나서기가 무섭게 가방에 넣어 두었었다. 이런 거 끼고 다니다 칼이라도 맞으면 어쩌나 싶어서. 물론 나는 간이 작아서 처음부터 이 무시무시하게 비싼 반지가 무섭기도 했었다. 다시 조심스럽게 반지를 내밀었다.

"무슨 뜻이지?"

"네? 뜻이라뇨?"

"지금 이런 행동을 하는 건 나를 인정하고 싶지 않다는 뜻인가? 아니면……."

아니면?

그가 불쑥 얼굴을 들이밀었다. 안 그래도 긴장해서 숨이 넘어갈 지경인 나에게 코가 맞닿을 듯 바짝 얼굴을 들이대고는 마치 씹어뱉듯 말했다.

"지금 반항하는 건가, 윤미숙?"

"꿀꺽. 아, 아닌데요."

"그럼 뭐지?"

"그, 그게 저는 그냥……."

당연히 돌려 줘야 하는 건 줄 알았다고 하면 한 대 치려나?

때, 때릴 건가요, 고 사장?

어깨가 움츠러들고 손이 덜덜 떨렸다. 이 사람은 왜 이렇게 극단적으로 생겨서 조금만 눈을 치떠도 분위기가 확 바뀌는 건가. 아침까지만 해도 손끝 하나까지 다정해서 무섭게 만들더니 지금은 당장 눈만 마주쳐도 한 대 칠 것처럼 살벌해서 무서웠다. 이래도 무섭고 저래도 무섭고. 고개가 점점 더 아래로 기울고 반대로 눈은 그의 눈치를 살피느라 자꾸 위로 올라갔다.

그런 나를 고 사장은 또 한참이나 노려보았다.

그의 새카만 눈동자 위로 무어라 설명할 수 없는 미묘하고 복잡한 감정들이 스쳐 지나가는 것이 보였다. 후회? 허탈함? 혹은 분노? 날숨을 내쉬는 그 짧은 순간에도 폭발하듯 수많은 감정이 일어나 격렬하게 뒤섞이는 것이 느껴져 차마 더 보지 못하고 나는 고개를 푹 떨어뜨리고 말았다.

아무 이유 없이 눈가가 붉어지려고 들었다.

그는 이런 상황을 불러온 원인, 윤미숙과의 결혼을 후회하고 있는 것이 분명했다. 아무래도 나 또 실수한 건가 보다. 부부 노릇을 해야 하는 마당에 반지가 없으면 역시 이상하게 보일 거라는 사실을 살짝 간과했다.

"후우."

그에게서 긴 한숨이 터져 나왔다.

반사적으로 다시 고개가 올라갔다. 감정에도 색이 있는지 한참 만에 다시 올려다본 그의 눈빛은 무저갱처럼 보다 더 까맣게 가라앉아 있었다. 그런 눈을 하고서 그는 아무 말 없이 반지를 받아 들더니 다시 내 손을 잡았다. 유려한 손짓 한 번에 걸리는 법도 없이 반지가 매끄럽게 원래의 자리로 돌아왔다.

"잘 들어. 우연히 잃어버리는 건 어쩔 수 없어. 하지만 만일 네 손으로 이걸 다시 뺀다거나……."

제자리를 찾은 반지를 엄지손가락으로 꾹 누르면서 그가 시선을 맞춰 왔다. 시리고 냉정한 눈빛이 똑바로 눈을 찔렀다. 동시에 아프도록 깊이 파고드는 반지의 서늘한 감촉에 전율하며 나는 나방처럼 잠시 파닥거렸다.

"나를 기만한다거나 속이는 일이 벌어진다면 그땐, 정말 각오하는 게 좋을 거야."

손이 툭 떨어졌다.

그는 분명히 화를 내고 있었다. 목소리는 더없이 낮게 가라앉고 얼굴은 담담하다 못해 표정조차 거의 읽히지 않았지만 다른 어느 때보다 나는 그가 화가 났다는 사실을 분명하게 알아차렸다. 무서워서 죽을 것 같았다.

차라리 크게 소리를 쳤다거나 미친 듯이 화를 냈다면 이렇게 무섭게 느껴지지도 않았을 것이다. 화가 난 상황에서도 여전히 침착하고 냉정한 모습을 유지할 수 있다는 사실에 나는 더 큰 충격을 받았다. 이런 상황에서도 그렇게 냉정할 수 있다면 정말로 한 대 칠 때에도 마찬가지일 것이 아닌가 말이다.

'일단 한 번 손을 쓰면 사람을 아예 죽여 놓을지도 몰라.'

나 같은 경우는 혼자 바락바락 성질을 내다 제 풀에 지쳐 나자빠지는 스타일인데 비해 고 사장은 일단 끝까지 죽여 놓은 다음 쉬는 아주 독한 캐릭터가 틀림없었다. 그런 의미에서 나는 앞으로 절대로 그에게 분노를 사는 짓은 하지 않기로 결심했다. 이런 사람에게 맞으면 대체 얼마나 아플 거냔 말이다.

"앞으로 하루 한 번 이상 반드시 전화하도록."

"네에? 요, 용건이 없어도요?"

"없어도."

그가 단호하게 말뚝을 박았다.

혹시 돈 떼어먹고 도망갈까 봐 그러는 건가? 어쨌거나 정확한 이유 따윈 저 너머에 두고 나는 또 냉큼 고개를 끄덕였다. 그렇게 하는 것이 확실히 신상에 이로워 보여서. 그런 나를 고 사장은 잠시 동안 물끄러미 바라보더니 곧 긴 한숨과 함께 한 손으로 내 머리를 딱 한 번 쓸어내려 주었다.

"먼저 쉬고 있어."

그리고 그는 서재로 사라졌다.

거실엔 완전히 뒤집어져서 산산이 펼쳐진 가방과 나만 덜렁 남아 있었다. 기운이 쏙 빠졌다. 다리에 힘이 풀려서 나는 가방 옆에 털썩 주저앉았다. 혹 빠져나갔던 혼이 염치도 없이 그제야 슬그머니 돌아왔다.

"그런데 어디에서 쉬라는 거지?"

늘어져 앉아 있자니 이제는 드러눕고 싶어져 나는 주섬주섬 주위를 둘러보았다. 아침에 열심히 헤맨 것으로 모자라 하루 종일 긴장한 상태로 동동거리며 일을 한 탓인지 삭신이

쑤셨다. 그나저나 방은 많은데 어느 방으로 들어가야 하나. 그것이 문제였다.

"고 사장 방은 빼고, 옆방도 빼고, 또오……."

잠시 두리번거리다 나는 곧 깊숙한 안쪽에 위치한 방문을 하나 발견했다. 워낙 면적이 넓어 그런지 그곳에서는 고 사장 방이 보이지도 않았다. 그런데 문짝에 '은수 방'이라고 써 있다. 아가씨 방인가 보다. 슬쩍 열어 보니 잔잔한 꽃무늬와 핑크색으로 도배가 된데다 공주님 침대까지 놓인, 지극히 소녀스러운 풍경이 드러났다. 우리 아가씨, 거친 시장에서 일하는 사람답지 않게 취향이 의외로 아기자기하고 로맨틱하다.

"이렇게 방까지 마련해 줬으면서 왜 같이 안 사는 거냐고."

이 집안엔 무슨 사정이 있기에 자주 모이면서도 같이 살지는 않는 건가. 할머님은 성공한 손자들을 두고 왜 시장에서 그런 고생을 하고 계신 것일까. 큰 손자는 금융계의 다크호스에 작은 손자는 자그마치 재벌가의 사위인데 말이다. 내가 참견할 일은 아니지만 그래도 궁금한 건 어쩔 수 없었다. 나중에 아가씨를 살살 꾀여서 사정을 물어봐야겠다.

그 외에도 나는 두어 개나 되는 방을 더 발견했다. 그런데 내가 지내기엔 두 곳 모두 너무 넓고 인테리어가 잘되어 있는 것이 혹시 이미 사용하는 사람이 있거나 다른 용도로 이용하는 곳일지도 몰라 차마 마음 편히 들어가 누울 수가 없었다. 그래서 나는 생각보다 한참이나 더 집 안을 서성여야 만 했다. 그러다가 마침내 그 방을 발견하고야 말았다.

"와아, 좋은 방인데……."

찾기도 쉽게 그 방은 주방 바로 옆에 붙어 있었다.

위치가 위치인 만큼 다른 방들에 비하면 상당히 작은 편이 었으나 시골 내 방보다 두 배는 더 커 보였고 무엇보다 사용 하는 사람이 없다는 사실을 증명하듯 아담한 옷장 하나 말고 는 텅 빈 상태였다.

"이 방을 써도 되려나?"

말은 그렇게 하면서도 나는 거침없이 가방을 들여놓고 옷 장을 열어 이불까지 꺼내 바닥에 깔았다. 피곤하다는 사실을 인지한 탓인지 이제는 당장 쓰러져도 이상하지 않을 만큼 온 몸이 늘어지고 있었다. 더구나 내일은 일찍 일어나 시장으로 출근을 해야 하기도 했다. 그리하여 나는 또 어렵사리 욕실을 찾아 대강 씻은 다음 방으로 돌아와 그대로 잠들어 버렸다.

잠들기 직전, 아침에 보았던 여자의 얼굴과 아직도 서재에 있을 고 사장이 찾으면 어쩌나 하는 생각이 잠깐 들긴 했지 만 쓰나미 같은 수마에 밀려 곧 잊혀졌다.

아버지는 과수원에서 사과를 살피고 있었다.

팔짱까지 끼고 진지한 자세로 서서 요리조리 사과를 살피 다 문득 나를 돌아보더니 말했다.

"이 사과 팔아서 올 가을에 너 시집보내야 쓰겄다."

"저 시집 안 가요, 아부지."

"왜?"

"고 사장이 밥을 못해서요."

"그럼 사과는 2억 원에 팔아야겠다."

"그러세요. 근데 혼자서 농사짓는 법은 다 익히셨어요?"

"아니, 대신 해 줄 사람을 구했다."

히죽 웃으면서 아버지가 한쪽을 가리켰다.

"어서 오세요, 사모님."

도우미 아주머니 두 분이 밭두렁에 서서 고개 숙여 인사하고 있었다. 나도 모르게 마주 절을 했다. 그사이 아가씨와 할머님이 새참을 가지고 나왔다. 그에 나는 재빨리 아버지에게 속삭였다.

"사과가 2억 원이라는 건 비밀이에요, 아부지."

"왜?"

"들키면 미준이 등록금을 못 낼지도 모르거든요."

우리는 간단하게 사실을 은폐하기로 했다.

마침, 멀리서 새빨간 스포츠카가 지나갔다. 양재호가 스카프를 휘날리면서 '후회할 거라고오오!' 라고 소리치고 있었다. 할머님이 해맑게 웃으면서 그에게 팔랑팔랑 손을 흔들어 주고 아가씨는 나에게 가방을 내밀었다.

"얼른 집에 가세요, 언니."

"정애 할머니랑 정말 같이 살아야 하나요?"

"당연하죠. 엄청이 섹시하니까요."

나는 가볍게 납득했다. 그런데 가방을 받기가 무섭게 우리 과수원 한복판에 비행기가 내려앉더니 곧 승무원복을 입은 여자가 가방을 질질 끌고 달려 나왔다.

"은후 오빠 결혼했다는 거 진짜야?"

대답을 하기도 전에 여자는 철푸덕 주저앉아 울기 시작했다.

우르르릉. 천둥 번개가 치면서 하늘에서 비를 타고 고 사장이 내려왔다. 그러자 기다렸다는 듯 사과가 몽땅 떨어졌다. 쿵. 쿵. 쿵!

"헉!"

눈이 번쩍 뜨였다.

아악, 내 눈깔!

갑자기 잠에서 깨어난 충격으로 잠시 동안 눈앞이 아찔하고 희미한 현기증이 몰려왔다.

"아오오, 눈 아파."

아, 어지러워. 세상에 뭔 놈의 꿈이 그렇게도 정신없고 사나운 건가. 충격적인 내용으로 점철된 꿈 때문에 허탈함을 넘어 속이 다 휑했다. 비록 꿈이지만 얼마나 리얼했는지 아직도 귓가에서 쿵쿵거리는 소리가 들리는 것만 같았다.

쿵쿵쿵…….

어라? 아직도 잠이 덜 깼나?

지나치게 선명해서 오히려 비현실적으로 느껴지는 소리에 조금 몽롱하던 정신이 빠르게 수면 위로 부상했다. 눈동자가 데구르르 굴렀다. 그러자 보이는 것은 옆에 떡하니 버티고 누운, 제법 탄탄해 보이는 살색 벽이었다. 선홍색 꼭지가 달린.

'이, 이게 뭘까?'

꼼짝도 못하고 누워 나는 또 멍하니 생각했다.

이건 어디에서 나타난 벽인가, 벽 주제에 웬 꼭지인가. 쿵쿵 뛰는 소리는 꿈 소리 녹화 버전 오케스트라 사운드인가 아니면 리얼 생방 라이브인가. 아무리 봐도 실감이 안 나는 건 혹시 아직도 내가 꿈속을 헤매는 중이기 때문이런가?

어쩐지 울고 싶은 기분마저 느끼며 나는 주춤주춤 고개를 들었다.

창을 타고 들어오는 푸른 새벽빛 아래에서 두 눈 꼭 감고 고요하게 잠든 저분은 분명 고 사장이렷다. 그 아래 보이는 것은 고 사장의 맨살이요 어깨이며, 선홍색 꼭지는 고 사장의 유두, 그리고 지금 내가 코를 박고 있는 곳은…… 고 사장의 겨드랑이다.

빡!

무언가가 뒤통수를 후려치고 지나갔다. 밀려드는 둔한 충격에 정신이 다 얼떨떨해졌다. 어째서 내가 이러고 누워 있는 것일까. 이런 상상은 하고 싶지 않지만 설마, 잠결에 벌떡 일어나 고 사장을 덮치고 만 것이냐? 그렇지 않고서야 어떻게 내가 고 사장의 겨드랑이에 코를 박고 잘 수가 있단 말인가.

'아오, 현기증!'

윤미숙, 네 이년! 결국은 저지르고 말았구나!

숨도 못 쉬고 울지도 못하고 나는 조심스럽게 그의 겨드랑이에서 코를 떼어 냈다. 그런 다음 누운 채 간신히 몸을 떼어 내고 다리를 떼어 내고 마침내는 상체를 반쯤 일으키는데 성공했다. 일어나서 보니 홀딱 벗은 그의 상체가 더 눈부시게 빛나고 있었다.

홀딱 벗은? 헉!

왜, 왜 벗고 있는 거지? 새로운 충격과 위기감 속에서 두 손이 정신없이 몸을 헤매고 다녔다. 잠옷으로 입는 원피스 치마가 배꼽 위로 올라가 있는 것 말고는 다행히 내 옷차림은 잠들 때와 별로 달라진 게 없었다. 상황으로 보아 나는 그냥 그의 옆에서 잠만 잤을 뿐 남녀 사이에 흔히 있을 법한 불의의 사고(?)는 없었던 것 같았다. 그런데 나 정말 몽유병이 있는 것은 아닐까?

잠든 건 분명히 주방 옆의 작은 방이었는데 깨어 보니 고 사장의 방, 그것도 침대 위에 떡하니 누워 그의 겨드랑이에 코를 박고 있다니. 잠결에 내 발로 옮겨 오지 않고서야 어떻게 이런 일이 벌어질 수 있단 말인가.

'이 사람이 옮겨다 놓았을 리는 절대 없을 텐데.'

아니, 아니다.

고 사장은 절대로 그런 친절한 캐릭터가 아니었다. 한때는 친절한 사람일지도 모른다고 생각했었지만 겪어 보니 그는 그냥 무서운 사람일 뿐이었다. 즉, 그러면 옮기는 게 아니라 발로 차서 나를 깨웠을 확률이 더 높다는 소리다. 더구나 그에겐 고생해 가며 굳이 나를 이 자리에 옮겨다 놓을 이유도 없었다. 아무리 침대가 넓다 해도 둘이 자는 것보다 혼자 자는 게 더 편하다는 건 무시할 수 없는 사실이니까.

결국 결론은 하나일 수밖에 없었다.

갑작스럽게 바뀐 환경으로 인해 숨겨져 있던 변태 근성이 폭발하여 윤미숙은 마침내 고 사장을 덮치고 만 것이다. 상황을 깨닫자 성역을 침범한 것만 같은 죄책감과 함께 공포가 몰려왔다. 정말로, 정말로 이런 상상은 하고 싶지 않지만 만약 이 상황에서 고 사장이 눈을 뜬다면 나는 어떻게 되는 것일까.

'아아, 무섭다.'

생각만으로도 너무 무서워서 머릿속이 하얗게 비어 버렸다. 할 수만 있다면 이대로 재가 되어 흩어지고 싶은 심정이었다. 꽤 강렬한 패닉 상태가 지나간 후 찾아든 건 어서 빨리 이 자리를 벗어나야 한다는 생각 단 하나뿐이었다. 그리하여 눈물을 삼키면서 나는 허겁지겁 침대 밖으로 몸을 내던졌던 것이다.

"어어어!"

아뿔싸, 너무 급하게 움직였다.

다리 먼저 내려가야 하는데 마음이 급해 다리보다 머리통이 먼저 침대 밖으로 탈출을 감행한 게 문제였다. 덕분에 상체가 먼저 기울어지면서 머리는 침대 아래에, 다리는 침대 위 허공에서 마구 춤을 추었다. 그러다 곧 쿵 소리를 내면서 나는 침대 아래로 나동그라지고 말았다. 두 다리에 이불을 칭칭 휘감은 채였다.

"아이고, 아야."

이러다 잘 자는 사람 다 깨겠네.

진짜 깼을까 봐 걱정까지 하면서 훌떡 벗겨진 이불을 온몸에 휘감고 한참을 버둥대다 간신히 몸을 일으켰다. 그리고 나는 그대로 돌이 되었다. 두 손으로 꼭 붙잡고 있는 이불을 얼른 제자리에 돌려놔야 한다는 생각이 저 멀리에서 희미하게 들고 있긴 했지만 불행하게도 몸이 꼼짝을 하지 않았다.

고 사장이 눈을 시퍼렇게 뜨고 있었다면 차라리 더 나았을지도 몰랐다. 아니, 적어도 잠옷이라도 한 장 걸치고 잠들어 있는 거라면 내가 이렇게 돌이 되어 굳어 버리는 일도 없었을 거였다. 그의 날가슴을 보았을 때 나는 어째서 이런 상태를 짐작하지 못했던 것일까. 상체뿐만 아니라 하체까지 훌딱 벗고 반듯하게 누워 잠든 고 사장을 나는 하염없이 바라보았다.

'몸매까지 끝내주는 고 사장. 그런데…… 흐읍! 저, 저게 원래 저렇듯 꼿꼿하게 서 있어야 하는 물건이었던가.'

내가 정말 보고 싶어서 본 게 아니오, 고 사장.

나는 또 상체처럼 그대의 아랫도리도 순수하기 그지없는 상태인 줄만 알았소이다. 설마하니 당신이 아랫도리도 홀딱 벗고 있으며, 그게 그렇게 꼿꼿하게 설 수도 있음을 내가 어찌 알았겠소. 실물을 목격하는 건 나도 처음인데 말이오. 아, 내가 지금 차마 시선을 못 떼고 있는 건 본의가 아니라는 사실도 좀 알아주었으면 좋겠소이다.

"내가 벗겨 놓은 건 아닐 거야. 암, 내가 아직 그렇게까지 타락하진 않았어."

이 사람은, 이 사람은 왜 홀딱 벗고 자는 건가. 취향이 원래 그런 것인가, 아니면 나보라고 일부러 벗고 잠든 건가?

홀린 것처럼 멍하니 바라보며 중얼거리다 나는 조심스럽게 이불을 가져다 그의 몸 위에 덮어 주었다. 아니, 정확히는 자존심 강한 그의 거시기 위에 수북이 쌓아 똬리를 틀어 놓았다. 마음은 골고루 덮어 주고 싶은데 이상하게 몸이 말을 안 들어서……. 그렇게 해 놓고도 마음이 안 놓여 나는 화려한 백스텝 기술까지 구사해 가며 그 자리를 간신히 벗어났다.

"후아, 놀래라."

주방까지 뒷걸음을 치고 나자 간신히 안도의 한숨이 터져 나왔다.

이제야 제정신을 차린 듯 미친 듯이 뛰기 시작하는 가슴을 꾹 누르며 나는 털썩 주저앉았다. 아침부터 너무 강도 높은 장면을 보아 놓았더니 정신이 다 혼미했다. 나 이러다 제명대로 살 수 있을까나.

"정신을 좀 차려야지."

물이라도 한 잔 마시면 나아질까 싶어 주섬주섬 일어나 냉장고를 열었다. 그런데 무슨 운명의 장난인지 하필이면 기다란 오이가 제일 먼저 보이는 거다. 그걸 본 순간 고 사장의 거시기가 다시 눈앞을 스쳐 가고 나는 또 끝도 없이 멍해졌다.

그러고 보니 꽤 컸지라.

어쩔 수 없이 시선이 도로 오이로 향했다. 저만했던가? 아니, 좀 더 컸던가? 복습하듯 되새김질을 하는 사이 문득 오이 옆에 놓여 있는 애호박이 눈에 들어왔다. 애호박이라. 호박이 원래 맛이 있긴 하지.

"……비슷한가? 이거 참, 만져 봤어야 알지."

"뭘?"

"아악!"

갑자기 귓가에 쏟아지는 이 뜨건 숨결은?

쾅!

혼비백산을 하고 놀라 비명까지 내지르며 나는 냉장고 문짝에 짝 달라붙었다. 가운을 걸친 고 사장이 멀끔한 얼굴을 하고 서서는 나를 가만히 바라보고 있었다. 깨어 있었단 말이오? 언제부터? 혹시 내가 댁네의 겨드랑이에 코를 박고 잔일이나, 이불을 벗겨 낸 거, 그리고 그, 그, 그걸 목격했을 때이미 깨어 있었던 것은 아니오? 제발, 아니라고 말해 주시오!

"왜 그렇게 놀라는 거지?"

"아, 아, 아무것도 아니에요. 근데 언제 깨신 건지⋯⋯."

"방금. 물 한 잔 마실 수 있나?"

"예? 아, 예. 잠깐만요."

얼굴을 보기가 왠지 민망해서 나는 고개를 돌리고 심봉사처럼 손끝으로 냉장고를 더듬었다. 그러곤 간신히 물 한 잔을 따라 준 다음 말없이 천장을 우러러 보았다. 안 그러려고해도 시선이 자꾸만 아래로 떨어지려고 들었기 때문에 나름대로는 필사적으로 노력한 결과였다.

"아주머니들이 쉬시는 날인데 아침은 어떻게 할까?"

"아, 제가 하면 되죠. 할 수 있어요. 그럼요."

"시장에 가서 먹을 생각이었는데."

"에이, 아침부터 어떻게 그래요. 아가씨도 바쁘실 텐데 아침 정도는 먹고 가는 게 낫지 않을까요?"

"그게 좋다면 마음대로. 그런데⋯⋯."

평소와 하나 다를 바 없이 담담하게 말을 이어 가던 고 사장이 문득 손을 쭉 뻗더니 하늘로 향해 있는 내 턱을 반강제로 잡아 내렸다. 시선을 딱 맞춰 놓고 물었다.

"천장에 뭐가 있나?"

"아, 아무것도요. 아무것도 없죠. 네!"

얼굴이 확 달아올랐다.

심장도 덩달아 삐걱거렸다. 이유는 절대로 말할 수 없지만 고 사장을 똑바로 바라보고 있기가 너무 힘들어서 아침부터 식은땀이 다 나려고 했다. 얼굴만 봐도 자꾸만 애호박과 거시기가 떠오르는 것이…… 돌았나, 윤미숙? 내가 원래 이렇게 음란한 여자가 아니었는데 말이다.

"그거 쓸 건가?"

"네? 뭐, 뭘요?"

"손에 들고 있는 그거."

그가 턱 끝으로 내 손을 가리켰다.

아까부터 등 뒤로 가 있는 내 왼손엔 애호박이 얌전히 쥐어져 있었다. 아니, 이게 왜 여기에…… 크허험.

"애호박을 좋아하나?"

"아, 아마도요?"

"훗, 아침 기대하지."

희미하게 웃으며 내 어깨를 툭툭 두드려 주고 그는 사라졌다.

'도둑이 제 발 저리다.'는 말은 바로 이런 경우를 두고 한 말인가 보다. 그냥 어깨 한 번 두드렸을 뿐인데 어쩐지 의미심장한 행동처럼 느껴져 나는 공연히 간이 철렁했다. 손에 애호박만 들고 있지 않았어도……. 화끈거리는 얼굴을 들고 민망한 호박을 찍 노려보았다.

"호박 주제에 너무 부끄럽게 생긴 것 아냐?"

내가 꼭 뭔가를 떠올려서 이런 말을 하는 게 아니다.

다른 좋은 거 다 놔두고 호박 주제에 꼭지는 왜 달려 있느냐 말이다, 꼭지는! 호박에 꼭지가 달려 있으면 고 사장이 내가 혹시 자기 꼭지를 본 게 아니냐고 의심을 할지도 모르는데. 더 나아가 꼭지뿐만 아니라 더 굉장한(?) 것까지 봤다는 사실을 눈치채면 나는 아마도 그 길로 혀 깨물고 죽고 싶어질 게 틀림없었다. 아니면 성스럽기까지 한 그의 알몸을 봤다는 이유로 고 사장의 그녀에게 살해당하거나.

"휴우, 볶아야지."

허벅지에 바늘을 꽂는 심정이 바로 이런 것이런가.

음란하게 생긴 호박을 도마 위에 내려놓고 나는 가차 없이 토막을 냈다. 그런 다음 프라이팬에 달달 볶아 고 사장이랑 같이 맛나게 먹었다. 신혼여행 이야기가 나온 것은 내가 막 후식으로 사과를 깎고 있을 때였다.

"하, 하와이요?"

머리에 꽃을 꽂은 언니들이 손을 팔랑거리며 춤을 춘다는 그 야릇한 동네 말씀이시옵니까?

시간이 넉넉지 않다는 핑계로 대강 제주도나 가겠거니 생각했던 일을 비웃듯 고 사장은 내가 전혀 예상치 못했던 곳을 낙점하는 것으로 또다시 내 뒤통수를 후려쳤다. 하긴, 제주도나 하와이나 섬이긴 마찬가지지라. 그나저나 어째서 그먼 곳까지 가야 하는 건가. 나는 영어도 안 되고 춤도 안 되고 머리에 꽃을 꽂는 것도 싫어하는데 내가 정말 거길 가야 한다는 건가?

고 사장, 혼자 다녀오시면 안 되겠는지요?

"여권 없는데요?"

나는 해맑게 웃으며 진실을 털어놓았다.

이런 말하긴 조금 부끄럽지만 나는 하와이가 무서웠다. 거긴, 이를테면 외국이니까. 한국말이 안 통하는. 안 그래도 무서운 남자랑 결혼, 아니 같이 살게 되어서 심장이 안 좋은데 내가 뭣 때문에 그 무서운 곳엘 가야 하나. 내가 영어를 못한다는 사실을 고 사장에게 목격당해서 뭐 좋을 게 있다고?

"만들었어."

"에? 어, 언제요?"

"엊그제."

아니 아니, 그날은 우리가 결혼식 비스무리 한 것을 치른 날이 아닌가 싶소만?

퍼포먼스에 강한 듯싶더니 이 사람은 깜짝쇼도 좋아하나 보다. 뭣 때문인지는 모르겠지만 신분증이 필요하다기에 건네주었던 일을 떠올리며 나는 조금 떨었다. 신분증 하나 가지고 여권까지 만들었는데 다른 건 더 못 만들랴. 매사 완벽을 추구하는 고 사장의 성격으로 보아 아무래도 무언가가 더 나올 것만 같아서 가슴이 다 두근거렸다.

"혼인신고도 했고."

"헉!"

"아, 이건 카드랑 통장."

"카, 카드랑 통장이요?"

"음, 생활비."

예상대로, 아니 예상했던 것보다 더 충격적인 통보와 물건이 한꺼번에 척척 나왔다. 그것만으로도 이미 놀라 죽겠는데 사과를 먹다 말고 그가 또 덧붙였다.

"나머지는 여행 다녀와서 이야기하지."

"나, 나머지요?"

"음."

어안이 벙벙해졌다.

나머지라니, 나머지 뭐? 혼인신고에, 여권에, 카드로도 모자라 여기에서 또 뭐가 더 있다는 건가. 서류상 이미 유부녀가 되었으며 생전 만져 본 적 없는 여권까지 나와 있다는 충격이 '나머지'라는 말에 섞여 소리 없이 희석되었다. 혹시 그 나머지라는 것은 어제 본 '그 여자'에 대한 것일까?

갑자기 속이 뜨끔했다.

우리가 이 집에서 우연히 마주쳤다는 사실을 그는 알고 있을까? 고 사장은 아무렇지 않은 얼굴인데 나만 혼자 긴장해서 공연히 그의 눈치를 살피기 시작했다. 한편으로 무언가 불공평하다는 생각이 가끔 들긴 했지만 단지 그뿐이었다. 잠시나마 편하게 흘러가던 분위기가 급 돌변해서 서서히 숨통을 조여 오고 있었다. 그 스릴 넘치는 분위기는 그날 저녁 하와이행 비행기에 오를 때까지 꾸준히 계속되었다.

✣ ✣ ✣

"알로하!"

굵직한 목소리가 정신을 일깨웠다.

워낙 낯선 곳이라 길을 잃을까 봐 고 사장의 등짝만 보며 열심히 쫓아가고 있었는데 갑자기 시커먼 그늘이 지면서 순간 머리가 울렸다. 누구인지는 모르겠지만 실로 화끈한 울림통을 가진 사람이었다. 고개를 한껏 젖히고 올려다보니 고 사장보다 더 큰 남자가 하와이안 셔츠에 알록달록한 꽃목걸이까지 건 채 우리를 향해 열심히 손을 흔들고 있었다.

뉘신지?

혹시 아는 남자일까요, 고 사장?

"마이클."

역시 아는 남자인가 보다. 환상이 깨졌다. 나는 또 예쁜 언니들이 덩실덩실 춤을 추면서 입구에서부터 꽃목걸이를 걸어 주는 상상을 했더랬다. 비행기를 타고 아홉 시간이나 날아오는 동안 열심히 보고 또 본 여행가이드북엔 분명히 그런 장면이 들어가 있었었다. 아니, 적어도 육덕지기 이를 데 없는데다 턱이 두 개로 갈라진 덩치 큰 아저씨가 환영 인파로 나올 거라는 정보는 어디에도 없었던 것으로 기억한다.

왜 하필이면 장길산 같은 아저씨를 섭외하고 그러시오, 고 사장.

친구를 사귀더라도 이왕이면 좀 닮은 사람으로 해 주면 안 되겠소? 그래야 둘이 뜨겁게 껴안아도 내가 덜 무서울 게 아니오.

"와이키키가 어느 쪽이더라."

뜨거운 감동의 재회를 즐기고 있는 두 사람을 외면하고 나는 모르는 사람인 척 지도에 코를 박으며 그들을 슬그머니 지나쳤다. 그런 내 뒷덜미를 고 사장이 딱 잡아챘다.

"이쪽이 내 아내, 그리고 이쪽은 마이클. 인사하지?"

"아, 안녕하세요, 윤미숙입니다."

"만나서 반갑습니다, 제수씨. 이거 이거 대단한 미인이십니다. 혹시 시간 있으시면 저랑 차나 한잔……."

아하하하. 내가 또 차를 별로 안 좋아한다.

나는 말없이 고 사장의 등 뒤로 숨었다. 인사를 하기가 무섭게 두 손으로 내 한쪽 손을 덥석 잡고 달달 흔드는 그가 역시나 조금 두려워서. 더구나 생긴 건 분명히 외국인인데 한국말로 자연스럽게 떠드는 것도 내겐 매우 공포스러운 상황이었다. 아니, 팔뚝에 털까지 숭숭 난 외국인이 왜 어울리지 않게 한국말을 구성지게 잘하느냐 말이다. 혹시 유학파인가?

그나저나 손 떨어지겠소. 이제 그만 좀 놓아주면 안 되겠는지요?

"하아, 진짜 귀여운데? 어디에서 이런 귀여운 아가씨를 찾아낸 거지, 후?"

"비밀. 손 놔라."

"아차차!"

고 사장의 등 뒤에서 눈만 내놓고 있는 나를 맛깔스럽게 바라본 후 그가 아쉽다는 듯 슬그머니 손을 놓아주었다. 그러더니 두 손을 비비면서 활기차게 소리쳤다.

"자, 그럼 가 보실까?"

어깨를 덩실거리며 그가 우리를 밖으로 안내했다.

인생을 유쾌하게 사는 사람인 듯 연방 '크하하' 웃으면서 곁을 스쳐 지나가는 예쁜 언니들을 향해 진한 추파를 던지는 것도 잊지 않았다. 용감한 자여, 그대 이름은 마이클이로세.

"단둘이서 오붓하게 보낼 만한 곳이라면 역시 여기만 한 곳이 없지?"

별로 오붓하게 보낼 일은 없을 것 같소이다마는.

차로 한참을 달린 끝에 그는 해변가에 늘어선 웬 거창한 저택 앞에 우리를 내려놓았다. 호텔로 갈 줄 알았는데 저택이라니, 이건 또 어찌 돌아가는 시추에이션인가. 혹시 고 사장네 별장인가?

"자, 지금부터는 아무도 방해하지 않을 테니 두 사람은 부디 마음껏 뜨거운 시간을 보내시길."

육중한 현관문을 활짝 열어 주면서 그가 짓궂게 윙크를 날렸다.

당연히 그럴 예정이라고 말하듯 고 사장이 내 손을 잡아끌었다. 안으로 들어서자마자 나는 생각보다 더 넓은 저택의 규모에 압도되고 말았다. 거실의 전면 창으로 확 트인, 넓은 잔디 정원과 바로 붙어 있는 해변이 보였다. 설마 저 곳이 그 유명하다는 와이키키 해변일까나?

'수영복 안 가져왔는데.'

입까지 벌리고 사람 하나 없는 해변을 멍하니 바라보다 냉큼 고개를 저어 버렸다. 저곳이 와이키키일지라도, 내가 수영복을 가져왔다고 해도 아무 소용이 없는 일이다. 뭍에서 자란 윤미숙은 결정적으로 수영을 할 줄 모르는 것이다. 아무리 그래도 부끄럽게 고 사장 앞에서 개헤엄을 칠 수는 없지 않는가 말이다.

"아깝다. 바닷물에 몸 한 번 담가 보나 했는데."

아쉬움에 입맛이 다셔졌다.

내가 촌것이라서 아직 바닷물에 몸 담그고 놀아 본 과거가 없다. 사실, 수학여행 빼고는 여행을 가 본 적도 거의 없어서 바다를 본 것도 상당히 오랜만이었다.

"다른 건 몰라도 바다 구경은 실컷 하겠네."

그리고 고 사장도.

이 넓은 집에서 고 사장과 단둘이 나흘이나 지내야 한다는 생각을 하니 벌써부터 현기증이 몰려왔다. 안 그래도 어색해 죽겠는데 대체 뭘 하면서 시간을 보내야 하느냔 말이다. 공포의 눈치 보기? 분노의 눈싸움?

"아니야. 밖에 해변도 있고 시내도 가까운데 설마 집구석에서만 보내려고. 그래, 까짓 늦게까지 관광을 하면 되겠지."

이래 봬도 생애 첫 해외여행인데 별다른 추억거리도 없이 민숭민숭하게 보낼 수는 없다. 지금 당장 밖으로 나가서, 아니 오늘은 늦었으니까 내일 아침 해가 뜨는 대로 대차게 싸돌아다녀 주마.

미처 깨닫지 못한 사이 사위가 어느새 어둑어둑해져 있었다. 저 먼 수평선 너머로 해가 지는 모습을 보고서야 나는 이미 저녁때가 다 되었으며 내가 조금 피곤하다는 사실을 깨달았다. 다행히 배는 고프지 않았다. 아니, 오히려 조금 포만감이 느껴지는 것도 같았다. 왜 안 그렇겠는가. 비행기를 타고 오는 내내 계속해서 무언가를 먹어 댔는데.

타자마자 먹이고 조금 쉴 만하면 또 먹이고 심심해할 만하면 또 무언가를 주는 바람에 입이 도무지 쉴 틈이 없었더랬다. 고 사장은 잘도 사양하더라마는 나는 왜 그런지 먹는 건

도저히 거부가 안 된다. 그래서 주는 족족 받아먹다 보니 나중엔 내가 돼지처럼 사육당하고 있다는 느낌마저 들었었다.

"후우, 비행기는 다 그렇게 인심이 후한가?"

하늘을 벌겋게 물들이는 노을을 향해 나는 멍하니 중얼거렸다.

그러면서 곁눈질로 온 집 안을 한 바퀴 돈 고 사장이 마침내 짐 가방을 끌고 방으로 들어가는 모습을 몰래 훔쳐보았다. 활짝 열린 문 사이로 은근한 느낌을 주는, 오렌지색 조명이 켜진 방 안의 모습이 보였다. 그 안에서 고 사장은 옷을 벗고 있었다.

'흐읍! 나는 아무것도 안 봤다. 아무것도 안 봤다.'

제발 그 문 좀 닫고 벗으시오, 고 사장.

이건 비밀이지만 문을 닫아도 나는 열쇠 구멍으로 충분히 훔쳐볼 수 있소이다. 원래 영화도 훔쳐보는 게 더 재미있고 사과는 몰래 먹어야 제 맛이라지 않소. 아, 그리고 이건 내가 변태라서 하는 생각이 절대 아니오.

마치 나 보라고 하는 일인 듯 그는 옷을 훌렁 벗어던지고 알몸으로 당당히 욕실로 사라졌다. 각도상 비록 뒤태만 보았을 뿐이지만 역시 남달리 미끈하게 빠진 몸매였다. 운동으로 다져진 것이 분명해 보이는 잔잔한 등 근육하며 엉덩이가 그냥 위로 착 올라붙은 것이……

"아오, 미치겠네."

어쩐지 몸이 근질거리는 것만 같아서 나는 공연히 가슴팍을 벅벅 긁어 댔다. 미리부터 단정 짓고 싶지는 않지만 아무래도 고 사장은 스스로의 몸매에 진한 자부심 내지는 애착을 가지고 있거나, 혹은 남다른 습관을 가지고 있는 듯했다.

지난 하루 동안, 그는 뭐 하나 가릴 것도 없이 홀딱 벗고 자고 내가 보는 앞에서 태연하게 옷을 갈아입기도 하는데다 심지어는 욕실에서 맨몸으로 나오기도 해서 나를 기함하게 만들었다. 그 충격으로 인해 나는 심박동이 순간적으로 이상 증가하는 현상과 함께 눈동자가 제멋대로 돌아가는 사시 초기 증세를 보이기 시작했다. 설마 몸매 자랑을 하고 싶어서 그러는 것은 아닐 텐데.

'대체 뭐가 문제요, 고 사장?'

생긴 건 딱 선비마냥 점잖고 근엄한 사람이 취향은 왜 그리도 난해한 건지 짧은 시간 동안 나는 여러 차례 숨이 넘어갈 뻔했다. 혼자 보았기에 망정이지 여러 사람이 같이 보았으면 아까워서(?) 어쩔 뻔했나.

"아아, 피곤해."

다리에 힘이 풀린 듯 그 자리에 털썩 주저앉으며 나는 한탄했다.

아무리 보기가 좋아도 이렇게 자꾸 긴장해 버릇하다가는 명이 짧아질 텐데 어떻게 좀 덜 충격 받는 방법은 없을라나? 가능한 한 자주 보면서 면역력을 기른다거나…… 헛! 아니,

그게 아니라 고 사장이 밖에서처럼 옷이라는 걸 제대로 입고 있게 만드는 방법 같은 것 말이다.

"두루두루 완벽한 사람에게 이런 구멍이 있을 줄 어찌 알았나. 아! 설마, 그래서 따로 사는 건가?"

할머님이랑 아가씨까지 떼어 놓고 그 대궐 같은 집에서 혼자 사는 게 수상쩍더니 결국은 그랬던 것이었던 것이었구나. 역시, 고 사장도 붉은 피를 가진 사람이었음이야. 걱정 반 안도 반. 그러다 다시 한숨이 푹 쏟아졌다.

"그러니까 나흘 내내 코앞에서 고 사장의 알몸을 봐야 한다는 말이렷다?"

생각만으로도 코피가 쏟아질 것 같았다.

이러다 짐승처럼 고 사장을 덮치고 싶어지면 그땐 어떻게 해야 하는 건가. 뇌에 빨간 불이 켜졌다. 인간 윤미숙, 이대로 짐승녀가 되고 말텐가, 아니면 강철 같은 의지로 고 사장의 순결을 지켜 줄 것인가. 언제나 그랬듯 결론은 벌써 나와 있었다.

벌떡 일어나 미친 듯이 집 안을 돌아다녔다.

방은 지나치게 아늑해 보이니 절대로 같이 있으면 안 되겠고, 해변이 보이는 거실은…… 안 되겠고, 욕실은 미쳤어도 당연히 안 되고, 그럼 주방은?

"우와!"

넓은 창 너머로 테라스와 후원의 우거진 숲, 그리고 해변의 끄트머리가 보였다.

그 미려한 경치를 보면서 식사를 하고 싶었는지 창 앞에 넓은 식탁이 자리를 잡고 있었다. 그런데 지나치게 크다. 무슨 식탁이 사람이 올라가 누워도 될 것처럼 넓고 육중해 보이느냐 말이다.

"이 집 주인이 대가족을 거느리고 사나?"

경치도 좋고 식탁도 크다. 그리고 윤미숙은 완벽하게 꾸며진 주방을 보면 가끔 흥분을 할 수도 있다. 흥분하면 자칫 고 사장이 맛있게 보일지도 모른다. 그런 이유로 역시 안 되겠다.

냉정하게 돌아서서 다시 거실로 나왔다.

이제 방법은 하나뿐이었다. 이 집은 넓으니까 당연히 방도 많을 거였다. 그러니 각자 방을 차지하고 들어가 문을 꼭 잠그고 자면 되는 거다.

"안 씻을 건가?"

"헉!"

버, 벌써 나오시었소?

반사적으로 눈이 감겼다. 하루 이틀 사이 겪은 충격이 얼마나 컸으면 나도 모르게 눈이 먼저 감기냐. 두 눈을 질끈 감고 등을 돌리고 선 채 나는 잠시 호흡을 골랐다. 석양이 지고 있는 때였다. 하늘이 빨갛게 불타고 넓은 유리창 너머에서 쏟아져 들어오는 빛도 당연히 피처럼 붉은색이었다.

그 붉은 빛 아래에서 고 사장이 홀딱 벗고 있을까 봐 나는 겁이 났다. 정육점의 등이 붉은 이유는 뭔가. '나가는 언니들'이 있는 곳의 조명이 유독 붉은 이유는 뭔가. 누가(아마도 양재호?) 그러는데 그게 다 맛있어 보이라고 그런 거라고 했었다. 즉, 석양빛에 둘러싸인 알몸의 고 사장도 평소보다 훨씬 더 맛있어 보일 게 틀림없다는 말이다. 그러면 윤미숙은 미칠 테고 결국은…… 고 사장을 덮칠지도 모른다.

"왜 그러고 있는 거지?"

스스로의 짐승 기질이 두려워 떨고 있는 심정도 몰라주고 고 사장이 바짝 다가와 어깨를 턱 짚으면서 물었다.

"아, 아무것도 아니에요. 그냥 눈이, 눈이 부셔서요."

"아! 석양을 보고 있었나?"

"그, 그렇죠."

나 절대 아까 본 당신의 엉덩이를 되새기고 있는 거 아닙니다, 고 사장. 그저 나 스스로를 믿을 수가 없어서 이를 악물고 있는 것뿐이랍니다. 그러니 혹시 벗고 있다면 이런 나를 위해서라도 얼른 뭐든 걸쳐 주시오.

"빛이 참 곱죠?"

"으음."

거의 신음처럼 들리는 낮은 목소리와 함께 상쾌한 비누 향기가 다가왔다. 한 걸음쯤 떨어져 있던 거리감이 순간 사라지는 듯싶더니 등 뒤에서 뻗어 나온 손 두 개가 양쪽 어깨 끝에서 느껴졌다. 거의 동시에 몸이 뒤로 슬쩍 기울어졌다. 그리고 다가오는 것은 후끈한 열기를 머금은 그의 체온과 벽돌처럼 단단한 가슴팍.

갇혔다!

생각을 하기가 무섭게 그의 긴 팔이 내 가슴팍 위에서 교차하면서 나를 꼭 끌어당겨 안았다. 그 갑작스러운 접촉에 놀라 나도 모르게 눈을 부릅떴다. 단단한 팔뚝이 내 몸을 칭칭 휘감고 있었다. 짧은 소매 밖으로 드러난 내 가녀린 팔뚝을 그의 커다란 손이 꼭 움켜쥔 채였다.

울컥! 갑자기 얼굴로 피가 확 몰렸다.

맨살끼리의 접촉이 왜 이리도 생생하게 의식되는 건지 가슴이 벌렁거리다 못해 숨소리까지 점점 더 거칠어지려고 했다. 뜨거운 콧김이 풍풍 쏟아졌다. 눈앞에선 석양이 미친 듯이 불타고 있었고 윤미숙은 고 사장의 포옹 한 번에 화끈 달아올랐다. 그의 벗은 팔뚝이 빨간 조명을 받은 정육점의 고기처럼 맛있어 보이려고 한다. 꿀꺽. 마른침이 넘어갔다.

고 사장이 위험했다.

나는 그의 순결을 지켜 줘야 하는데 자꾸만 고개를 돌려 그가 정말 홀딱 벗고 있는지 아닌지 확인하고 싶은 마음이 솟구쳤다. 그리고 혹시라도 벗고 있으면…… 아, 코피가 쏟아질 것 같다. 이러다 한 번 만져 보기도 전에 코피를 내뿜으며 기절을 할까 봐 무섭다. 쪽팔리게.

"이상하지?"

"네? 뭐, 뭐가요?"

"석양을 보고 있으면 지금까지 머릿속을 꽉 채우고 있던 일도, 가슴을 답답하게 만들었던 고민도 다 사라지는 것 같아. 아무리 미운 사람도 그냥 용서할 수 있을 것 같은 기분이 들지."

석양에 취했는지 그가 특유의 나직한 목소리로 속삭였다.

"평온을 느끼는 동시에 한편으로는 기분이 나빠지기도 해. 낮도 아니고 밤도 아닌 미묘한 시간 때문인지 때때로 이성보다 감성이 더 자극당하는 느낌이거든."

"감성?"

"이를테면 본능 같은 것. 이상할 정도로 자신만만하게 만든다거나, 알 수 없는 감정에 사로잡혀 들뜨게 한다거나, 또는……."

"……?"

몸이 천천히 돌아갔다.

내 발이 돌아서고 있는 게 아니라 그가 내 몸을 돌려세우고 있었다. 그리고 석양빛에 물들어 붉은 기가 가득한 눈동자 두 개를 발견했다. 홀린 듯이 바라보자 그가 한 손을 들어 내 뺨을 천천히 간질이면서 말했다.

"또는 낯선 열기에 취해 밤새 잠 못 이루게 하는 것들. 마치, 이제 시간이 되었으니 사냥을 나가라고 재촉하는 것 같아. 건방지게."

건방지게.

말하면서 그가 희미하게 웃었다. 조금 멋있으면서도 무지 성격 나빠 보이는 예의 미소가 입가에 진하게 맺혀 들었다. 이번에도 반사적으로 몸이 오그라들었다. 이 남자가 이런 미소를 지으면 나는 돌연 무서워진다. 왜냐면 이런 미소를 지을 때의 그는 그 어떤 일이라도, 아주 나쁜 일이거나 혹은 그 반대의 일일지라도 어쩐지 아무렇지 않게 해치울 수 있는 사람처럼 보이니까.

미소와 함께 그의 입술이 다가왔다.

거미줄에 걸린 나비처럼 나는 꼼짝도 못하고 서서 그 모습을 멍하니 바라만 보고 있었다. 석양이 아니라 열기에 취한 것일까. 이마에 닿은 그의 입술이 유난히 뜨겁게 느껴졌다. 겉보기엔 더없이 냉정할 것처럼 생긴 사람이 묘하게도 체온은 항상 뜨거운 것 같았다.

콧잔등을 타고 내려오는 입술이라거나, 부드럽게 허리께를 쓰다듬는 손, 그리고 마주 닿은 넓은 가슴까지. 닿는 모든 것이 뜨거웠다. 내가 보통 사람들보다 체온이 조금 낮은 것인지 아니면 내 예상처럼 그가 지나치게 뜨거운 것인지 구분이 가지 않았다.

타는 듯 붉은 입술이 콧잔등을 타고 미끄러져 조금 창백하게 물든 내 입술 위로 내려앉았다. 부드럽기만 한 손짓과는 달리 숨결이 벌써 거칠었다. 강한 힘으로 꾹 내리누르고 빨아들인다. 그 한 번의 접촉으로 안 그래도 가늘어져 있던 숨결조차 몽땅 빼앗겨 버렸다고 느낀 순간, 반강제로 입술이 열렸다.

"으흡!"

뜨거운 혀가 해일처럼 들이닥쳐 입안을 온통 장악해 버렸다.

달아날 틈도, 반항할 여력도 주지 않고 내 작은 혀를 낚아채더니 순식간에 뱀처럼 얽혀 들었다. 몸은 어느새 단단한 그의 팔뚝에 휘감긴 채 그와 딱 닿아 있었다.

입고 있는 얇은 천 너머로 그의 단단한 몸이 너무 노골적으로 느껴져 미칠 것 같았다. 내 예상처럼 홀딱 벗고 나온 건 아니지만 그렇다고 해서 더 편한 것도 아니었다. 여름이라 옷이 얇아 막 샤워를 마치고 나온 미끈한 속살이 천 너머에서 은은하게 비치고 있었으니까. 이건 마치 '날 먹어 줘.'라고 유혹하는 것 같지 않은가 말이다.

"아!"

잠깐 한눈을 팔자 그 사실을 질책하듯 그가 한 손으로 엉덩이를 꾹 움켜쥐었다. 반사적으로 엉덩이가 터져나갈 듯이 꽉 조여들었다. 머릿속에서 까만 구관조 한 마리가 나타나 떠들었다. 고 사장이 내 엉덩이를 잡고 있다, 고 사장이 내 엉덩이를 잡고 있다, 고 사장이 내 엉덩이를…… 현기증이 몰려왔다.

"으음."

항문 끝까지 긴장하고 있는 내 아랫도리를 자신의 아랫도리에 껌처럼 바짝 붙여 놓으며 그가 낮은 신음을 터뜨렸다. 흥분의 강도를 증명하듯 점점 더 단단해지는 무언가가 당장 예민한 홈으로 파고들었다. 불끈불끈. 대체 내 아랫배를 쿡쿡 찔러 대는 이것의 정체는 무엇이란 말이냐. 오이냐 애호박이냐.

아, 용감한 고 사장.

얇은 옷을 뚫고 들어올 것처럼 거센 반응이 무서워 엉덩이가 자꾸 뒤로 빠지려고 들었지만 그 작은 반항도 그는 허락하지 않았다.

나 이젠 숨도 찬다.

뒤로 삐죽 빠지는 엉덩이를 도로 착 붙여 놓고 고 사장은 어느새 내 귓불을 씹고 있었다. 숨결이 훅 불어올 때마다 오싹오싹한 전기가 흘러 머리털 끝이 곤두서는 느낌이었다. 그의 혀가 목선을 타고 길게 내려간다. 손이 오그라들고 몸이 자꾸 움찔거려서 나는 그만 그의 어깨에 이마를 대고 입술을 꼭 깨물고 말았다.

고 사장, 제발 손 좀 가만히 둘 순 없으시오?

목덜미를 지나 쇄골 부근을 핥고 깨무는 그의 입도 문제고 자꾸만 불끈거리면서 커지는 아랫도리도 문제가 많지만 역시 가장 문제가 많은 것은 막 내 옷 속으로 들어온 그의 남은 한 손이었다.

허리께와 등을 부드럽게 쓰다듬던 손이 얇은 옷감을 제치고 맨살에 닿았다. 순간, 등줄기를 타고 머리 꼭대기까지 뭐라 설명할 수 없는 강한 전율이 흘렀다. 하도 극적인 열기라 잠시지만 나는 어쩌면 번개를 맞은 것일지도 모른다고 생각했다. 그의 큼직한 손이 허리를 타고 올라와 가슴을 꾹 움켜쥘 때까지 나는 정말 그런 착각에 빠져 있었다.

그게 아니라면 내가 후끈 달아올랐다는 사실을 인정해야 하는데 그러자니 너무 자존심이 상해서. 여기서 콧바람을 내뿜으며 몸이라도 비틀면 고 사장은 자신의 은밀한 손길 한 번에 훅 갔다고 윤미숙을 우습게 볼 게 아닌가 말이다.

'아오, 죽겠는 거.'

얼굴이 점점 더 뜨겁게 달아오르고 있었다.

너무 뜨거워서 활활 불타고 있는 것도 같았다. 나도 이러고 싶진 않지만 속옷이 밀려 올라가고 햇볕 한 번 받아 본 적이 없는 뽀얀 가슴이 통째로 드러났는데 어쩔 것인가. 그 가슴을 고 사장이 두 눈 똑바로 뜨고 빤히 바라보고 있는데 나더러 정녕 어쩌라는 말인가. 미친 척하고 한 대 칠까?

꿀꺽.

격하게 침 넘어가는 소리가 울려 퍼졌다. 내 목에서 나는 소리가 아니었다. 와중에도 고 사장의 목울대가 꿈틀거리는 걸 내가 분명히 봤다. 날 가슴을 내놓은 건 나인데 마치 자기가 더 긴장한 양 눈을 못 떼는 거다. 어어, 그런데 왜 갑자기 입을……

"헉!"

나도 모르게 손이 올라갔다.

그의 어깨를 부여잡고 부르르 몸을 떨었다. 그가 망설임 없이 내 가슴을 입에 물고 있었다. 한 손으로 다른 쪽 가슴을 꽉 틀어쥐면서 입으로는 핑크빛 유두를 물고 강하게 빨아들였다. 그 느낌이 너무 노골적으로 음란해서 나는 하마터면 신음을 내지르며 자지러질 뻔했다.

곳곳에서 찌릿찌릿 흐르던 전류가 한꺼번에 폭발하면서 몸의 두 곳으로 몰려들었다. 심장과 아랫배. 두 곳이 동시에 미친 듯이 간질거리기 시작했다. 혹시 '촉촉하게 젖어든다'거나 '심하게 당긴다.'라는 말은 이럴 때 쓰라고 나온 것일까? 두 다리가 딱 붙어 그대로 오므라들었다. 이제 그의 남성은 완전히 흥분해 무섭게 다리 사이를 찔러 오고 나는 젖가슴을 빨아 대는 고 사장의 머리통을 붙잡고 서서히 젖어들고 있었다.

"아!"

여긴 어디인가. 나는 누구인가.

서울 한복판에서 길을 잃었을 때보다 더 큰 혼란과 충격이 찾아왔다. 이대로 어떻게든 더해 주었으면, 아니 차라리 그냥 미쳐 버리면 머리 꼭대기까지 점령한 이 열기가 사라질까. 석양에 취한 것은 그가 아니라 아무래도 나였나 보다. 그가 주는 열정에 취해 나는 그를 끌어안고 손톱을 세웠다.

"아앗!"

"으음."

게걸스럽게 빨아 대던 가슴에서 그가 잠깐 얼굴을 들고 나를 바라보았다. 후끈 달아오른 뜨거운 시선 앞에서 다시 얼굴이 확 달아올랐다. 혹시 눈치챘을까? 내가 심하게 느끼고 있었다는 사실을. 아무래도 눈치챘겠지? 보나마나 두 뺨이 사과처럼 잔뜩 빨개져 있을 테니까.

부끄러움에 심장의 간질거림이 더 극심해졌다.

두근두근하고 짜릿하다. 그나마 조금 위안이 되는 것은 그 또한 완전히 흥분을 한 게 틀림없다는 사실이었다. 희미하게 붉어진 눈으로 그가 나를 바라보며 맛깔나게 입술을 핥았다. 원래도 섹시하신 분이지만 그런 음란하게 풀어진 모습은 말도 못하게 더 섹시해 나는 다리가 풀린 듯 슬쩍 휘청거리기까지 했다.

그래서였다.

그가 힘 좋은 머슴처럼 나를 불끈 안아드는 데도 반항 한 번 안 하고 얌전히 따랐던 것은. 어디로 가는지도 알고, 이제부터 어떤 일이 벌어질지 뻔히 알 것도 같았지만 상관없었다. 어떤 일이 벌어진다고 해도 다 괜찮을 것 같았다. 게다가 말했다시피, 다리에 힘이 풀려서 어떻게 도망을 갈 수도 없는 상황이었으니까.

나를 안고 천천히 움직이면서 그가 다시 깊게 입 맞추어
왔다.

격정적이면서 부드럽던 이전까지의 키스와 달리 이번엔
마치 잡아먹을 듯이 거칠었다. 자잘하게 깨물고 빨아 당기는
행위가 물어뜯고 삼키는 짐승의 그것처럼 사뭇 날것스러웠
다. 그의 목에 팔을 두른 채 나는 그 잔인한 키스를 간신히
받아 내었다.

털썩.

푹신한 감촉이 등 뒤에서 느껴졌다.

거실 한복판을 차지하고 있던 소파 위였다. 잠시나마 떨어
질 사이도 없이 그가 성급하게 몸을 겹쳐 왔다. 몸을 내리누
르는 묵직한 무게감에 잠깐 잊고 있던 두려움이 엄습하려고
들었다. 이것저것, 복잡하게 얼룩진 현실적인 생각들과 언젠
가 본 그의 여자까지.

"아!"

달랑 한 장 걸치고 있던 티셔츠가 순식간에 벗겨져 날아갔
다.

그는 이미 내 가슴을 움켜쥔 채 또다시 이를 박고 있었다.
질끈 눈이 감겼다. '오늘만, 아니 여기에서만.' 하는 누군가
의 은밀한 제안이 유혹적으로 귓가를 어지럽혔다. 이러면 안
된다는 걸 아는데, 알기는 아는데 몸이 꿈쩍을 하지 않았다.

인정하긴 싫지만 나는 이미 그에게 사로잡혀 있었다.

"앗! 거, 거긴……."

"가만히."

흥분으로 인해 더 낮아진 울림.

뜨거운 숨을 몰아쉬며 그가 한 손으로 내 아랫도리를 더듬었다. 허벅지를 길게 쓰다듬은 은근한 손길은 곧 생전 처음으로 차려입은 나풀나풀한 치마를 잔뜩 밀어 올리고 그 안으로 스며들었다. 아무런 망설임도 없이 내 팬티를 잡고 아래로 끌어 내렸다.

덜컥 겁이 났다. 방금 전까지만 해도 당장 어떻게 되어도 좋을 것 같더니 팬티가 벗겨지고 나자 이젠 정말로 어떻게 될까 봐 무서워진 거다. 사람 마음이란 게 원래 간사한 거라지만 내 마음은 정말 나도 용서가 안 될 정도로 변덕스러웠다. 그런데 여기서 그만두자고 밀어내면 고 사장은 어떻게 나오려나? 팬티까지 벗은 주제에 할 말은 아니지만 나는 그가 바지를 벗을까 봐 점점 더 무서워졌다.

'엄청 크던데. 그걸 어쩌지?'

애타는 나의 고뇌도 몰라주고 고 사장은 벌써 찢듯이 상의를 벗어던지고 있었다. 꽉 잡힌 근육이 단번에 눈을 사로잡았다. 사무실에서 일하시는 분이 운동도 열심히 하셨는지 바로 겹쳐 오는 몸이 유독 더 단단하게 느껴졌다. 뜨겁기도 더 뜨거운 것이 발가벗은 피부끼리의 접촉임에도 불구하고 열심히 비비면 단박에 불이 붙을 것도 같았다.

긴장으로 유두 끝이 꼿꼿하게 곤두섰다.

다시 내 입술을 탐하면서 그가 천천히 바지 버클로 손을 가져가는 것이 보였다. 순간, 마음이 다급해졌다.

"읍읍! 자, 잠깐만……."

"안 돼."

"저, 저기요 저 아직 안 씻었는데!"

"괜찮아."

그게, 아무래도 괜찮지가 않습니다, 고 사장.

겨드랑이는 깔끔한지 다리에 털은 있는지 혹은 냄새는 나지 않는지 꼭 확인을 해야 한단 말이오.

정말 급한 사람처럼 허겁지겁 바지를 벗어던지는 그를 두 눈 똥그랗게 뜨고 바라보다 나는 겁에 질려 필사적으로 그의 가슴팍을 밀어냈다. 그런 내 손을 잡고 그는 아주 자연스럽게 아래로 이끌었다. 타이트하게 붙는 검은 사각팬티 위에 얌전히 놓아주었다.

불끈!

손바닥 아래에서 팽팽하게 곤두선 무언가가 사납게 꿈틀거리는 것이 느껴졌다. 어, 어, 어, 그러니까 이게……. 머릿속이 하얗게 물들었다. 내 손에 고 사장의 거시기가, 거시기가! 지나치게 큰 충격으로 인해 나는 그대로 돌이 되었다. 고 사장이 귓가에 입술을 대고 뜨건 김을 후욱 내뿜으면서 속삭였다.

"이해하겠어? 안 된다고."

오싹 소름이 돋았다.

나는 멍하니 고개를 끄덕였다. 안 되는 건 안 되는 거다. 여기서 또 '잠깐만!'이라고 소리치면 정말 안 되는 상황이었다. 흥분할 대로 흥분해서 이마에 땀방울까지 매달고 있는 고 사장이 나를 죽이려 들기도 전에, 당장 내 손바닥 아래에서 꿈틀거리고 있는 놈이 무슨 짓을 할지 알 수 없었다.

지뢰를 밟은 사람처럼 꼼짝도 못하고 누워 나는 손을 떨었다.

얼른 손을 떼야 하는데 망할 손이 자꾸 안으로 오그라들려고 해 미칠 것 같았다. 하다못해 고 사장이 좀 떼어 주었으면 좋겠지만 그는 오히려 눈까지 감고 섹시한 표정으로 내 손에 허리를 밀어붙이는 거다. 그리고 다음 순간, 번쩍 눈을 뜨더니 내 다리를 양쪽으로 잡아 벌리면서 다시 몸을 붙여 왔다.

맞춤인 듯 벌어진 다리 사이로 착 파고드는 거시기의 감촉이 너무 생생해서 심장이 철렁 내려앉았다. 아무 이유 없이 숨이 찼다. 팬티는 아직 그대로 있는데 그게 벌써 안으로 파고드는 것만 같아 허벅지가 다 떨렸다.

"아!"

가슴이 딱 마주 닿았다.

목덜미에 얼굴을 박는 그를 어색한 동작으로 마주 안으며 나는 남몰래 덜덜 떨었다. 그의 손이 점령하고 있는 가슴이라거나 허리, 혹은 엉덩이보다 그가 입고 있는 팬티의 존재가 더 신경 쓰였다. 정말로 저걸 벗으면 어쩌나. 혼자서 걱정이 많았다.

벌거벗은 다리가 그의 손에 밀려 더 벌어졌다.

순간, 내 고민과는 아무 상관없이 엉덩이를 주물럭거리던 그의 한쪽 손이 슬쩍 팬티로 향하는 것이 보였다. 정말 그걸 벗으려는 것이오? 이대로 정말? 질끈 눈이 감겼다. 그때였다.

딩동!

열락의 거실 가득 장엄한 소리가 울려 퍼졌다.

흠칫! 아주 잠시지만 그도 굳고 나도 굳었다. 그러나 곧 무시하기로 결정했는지 그는 다시 팬티를 끌어 내렸다. 덕분에 배꼽 아래에서부터 한 줄로 촘촘히 이어지는 음란한 털을 내가 생눈으로 목격할 수 있었던 것이다.

탕탕탕!

초인종을 누르던 사람이 이젠 문을 두드리기 시작했다.

―안에 아무도 없어요?

소리도 지른다. 목청 좋은 소리가 선명하게 석양을 갈랐다. 누구인지는 모르겠으나 일단은 여자였다. 고 사장의 숱 많은 눈썹이 희미하게 꿈틀거리는 것이 보였다. 나는 모르는 여자인데 아무래도 그는 아는 여자인 듯했다. 혹시 그녀일까?

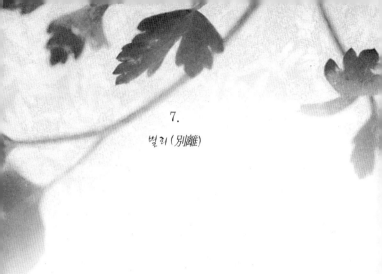

7.

별리 (別離)

신데렐라의 구두가 벗겨졌다는 건 신데렐라의 구두가 발보다 컸다는 건데 왕자는 어리석게도 발에 구두가 꼭 맞는 사람을 찾았지.

—칼잡이 오수정(2007) 中—

잠시 괴괴한 침묵이 이어졌다. 그리고 다시 목소리가 들렸다.

—은후 오빠? 오빠, 안에 있어요?

"후우."

불길한 예감은 왜 항상 적중하는가. 아무래도 내가 생각하는 그녀가 맞는 것 같았다.

팬티는 엉덩이에 걸려 아직 다 내려가지도 않았는데 결국 체념 어린 한숨과 함께 그가 천천히 몸을 일으켰다. 그러면 서도 이미 한창 달아올라 있는 열기를 가라앉히기가 매우 고통스러운 듯 잔뜩 일그러진 눈매가 파르르 떨리는 것이 보였다. 아쉬움, 혹은 미련이 뚝뚝 떨어지는 동작으로 그가 힘겹게 몸을 떼기가 무섭게 나는 냉큼 다리를 오므렸다.

아직 열기가 남아 타는 듯 뜨거운 그의 시선이 집요하게 내 다리 사이를 노리고 있었다. 처음, 드러난 가슴에서 시선을 떼지 못했던 것처럼 이번에도 그는 차마 시선을 떼지 못한 채 그 자리에 입술을 대고 맛을 보고 싶다고 말하듯 목울대가 출렁이도록 마른침을 삼켰다. 그래서 나는 허리께에 둘둘 감고 있던 치마를 슬그머니 내려 내 부끄러운 곳을 가렸던 것이다.

"끄응."

두 팔로 가슴까지 가리고 몸을 일으키자 그가 노골적으로 불만스러운 표정을 지으며 앓는 소리를 냈다.

고 사장, 밖에 그분이 와 계시잖소.

그분께서 기다리고 계시는데 지금 꼭 그렇게 다른 여자를 보며 입맛을 다셔야 쓰겠소? 양재호를 능가하는 바람둥이가 될 작정이 아니라면 실수는 그냥 실수로 넣어 두고 얼른 일어나 나가 보시오. 여행 온 기분에 사로잡혀 상황 파악도 못하고 부화뇌동한 덕분에 내가 그냥 부끄러워 죽을 것 같소이다.

나는 이미 싸늘하게 식어 있었다.

부지불식간에 찬물을 뒤집어쓴 것처럼 몸도, 마음도 확 깨어나고 정신조차 그 어느 때보다 멀쩡하기 그지없었다. 덕분에 민망해서 딱 죽을 것 같았다. 잔뜩 달아올랐을 때는 몰랐는데 허리에 치마만 두른 채 홀딱 벗고 누워 있는 꼴이 왜 이렇게도 부끄러운지 쥐구멍이 있다면 당장 달려가 숨어 버리고만 싶은 심정이었다.

다른 사람도 아니고 임자 있는 고 사장이랑 그런 짓을 했다는 사실이 나를 더 미치게 만들었다. 아무리 넋이 나갔어도 그렇지, 어떻게 여기서는 괜찮을 거라는 생각을 할 수 있었던 것일까. 아니, 한순간이나마 어떻게 감히 그런 마음을, 욕심을 품었던가. 윤미숙은 바보다.

'아오, 내가 돌겠다, 진짜.'

허겁지겁 옷을 주워 입으면서 나는 스스로 머리통을 쥐어박았다.

고 사장은 벌써 옷을 걸치고 나가 현관문을 열고 있었다. 그 모습을 힐끗 보다가 가장 만만한 화장실로 후다닥 튀어 버렸다.

"정신 차리자, 윤미숙. 다시는 이러면 안 돼. 아무리 고 사장이 맛있어 보여도, 그가 노골적으로 유혹을 해도, 조명이 빨강색이라고 해도 절대로 흔들리지 마."

거울을 보며 나는 깊이 반성했다.

고 사장에겐 여자가 있고, 나에겐 갚아야 할 빚이 있었다. 그 이유 덕분에 전혀 어울리지 않는 그와 내가 형식적이나마 결혼식을 치르고 이렇게 같이 있게 되었다. 단지 그뿐이었다. 그러니 할 일을 제대로 해내기 위해서라도 오늘과 같은 일이 다시 있어서는 안 되는 것이다.

"그나저나 둘이서 뭘 했냐고 따지면 뭐라고 대답하지? 아, 미치겠네. 치, 침착하게 굴자, 윤미숙."

다짐까지 하고 마지막으로 옷차림도 살핀 다음 나는 조심스럽게 문을 열었다. 결코 유익한 만남은 아니겠지만 어쨌거나 이렇게 만나게 되었으니 인사 정도는 하는 것이 예의일 터였다. 인사만 하고 조용히 자리를 비켜 주리라 생각하며 천천히 거실로 나섰다. 그리고 보았다.

어둠이 내리고 있는 창가.

고 사장이 훌쩍거리며 우는 여자를 안고 친절하게 등을 토닥여 주고 있었다. 그 모습이 너무 근사하고, 또 너무 잘 어울려서 눈이 시렸다. 같은 배경인데도 어쩌면 이렇게 그림이 다른지 마치 그들만 다른 세상에 있는 듯 분위기가 사뭇 신비스럽기까지 했다. 아마도 그래서일 것이다. 이렇게 아무 이유 없이 가슴이 아픈 것은.

차마 나서지 못하고 나는 조용히 물러났다.

그들 사이에 끼어서는 안 될 것 같았다. 발꿈치를 들고 조심조심 주방 쪽으로 나왔다. 후원으로 나가는 문을 그쪽에서 보았으니 운이 좋으면 들키지 않고 밖으로 나갈 수 있을 듯 해서였다. 밖에 나가 해변이라도 구경하면서 시간을 보내다 보면 밤은 금방 지나갈 것이다. 다행히 여름이라 감기 걸릴 일도 없고.

"거기서 뭐하는 거지?"

"악!"

후원으로 나가는 문을 열고 밖으로 딱 한 걸음을 떼어 놓는 찰나였다. 언제나 그렇듯 기척도 없이 나타난 고 사장이 등 뒤에서 뒷덜미를 잡아챘다.

아니, 그새 볼일을 다 보신 거요?

죽을 듯이 놀라 돌아보자 허탈한 표정을 한 고 사장이 주머니에 손을 넣고 서서 나를 물끄러미 바라보고 있었다. 이 여자를 대체 어쩌면 좋은가 하는 표정이었다. 그런 그의 등 뒤에서 말간 얼굴을 한 예의 여자가 조금 뚱하니 선 채 고개를 갸웃거리는 것이 보였다.

"아!"

순간, 뭔가를 깨달은 듯 여자가 손가락으로 나를 가리키며 입을 쩍 벌렸다.

"그때! 그때, 집에서 봤었죠?"

"네?"

"그날, 오빠 집에서 봤잖아요. 나 기억 안 나요?"

당연히 기억난다.

주저앉아 펑펑 우는 것까지 봤는데 그걸 기억 못하면 내가 사람이 아니라 금붕어다. 내 생전 그렇게 임팩트 강한 경험은 또 처음이었기에. 그런데 나는 그렇다 치고 이 여자는 그 와중에도 나를 어찌 보았기에 이렇게 금방 알아보고 기억해 내는 거란 말인가.

조심스럽게, 그러나 고 사장의 눈치를 슬쩍 살피는 것도 잊지 않고 나는 천천히 고개를 끄덕였다.

"아, 안녕하세요. 기억나요. 죄송해요. 그땐 미처 인사를 할 겨를이 없어서……."

"그거야 뭐. 이해해요. 저도 정신이 없었거든요. 하도 갑작스러운 상황이어서 충격도 컸고요."

"네에. 근데 괜찮으세요?"

"네? 뭐가요?"

"그게, 그때 많이 울던 것 같아서……."

"아아, 괜찮아요."

조금 부끄러운 듯 그녀는 볼을 희미하게 붉히며 말을 흐렸다.

미안하지만 하나도 안 괜찮아 보였다. 그날두 울고, 아까도 울던 모습을 보아서 그런지, 아니면 순전히 내 착각인지는 몰라도 그녀는 아직도 조금 울고 싶은 사람 같았다. 그리고 처지가 처지다 보니 나는 전혀 그녀를 위로할 입장이 되지 못했다. 그녀가 사랑하는 남자랑 결혼을 한 주제에 상처 입은 그녀에게 대고 내가 대체 뭐라고 할 수 있단 말인가.

힘내세요? 더 좋은 남자 만나세요?

그런 말을 하느니 양심적으로 그냥 한 대 맞고 말겠다.

"한애심이라고 해요."

"아, 네. 윤미숙이에요."

"애심이는 우리 은수 친구야. 유치원 다닐 때부터 같이 보던 녀석이라 내겐 친동생이나 다름없는 아이지."

도도하게 이름을 밝히는 그녀에게 넙죽 허리까지 숙이고 인사를 하자 고 사장이 친절하게 덧붙였다. 친동생이나 다름없는 아이라. 오빠였다가 아빠가 되는 그런 사이가 아니란 말이오? 정말?

미심쩍은 눈으로 바라보았지만 고 사장의 눈동자는 추호도 흔들림이 없었다. 여전히 당당하고 침착하기만 했다. 갑자기 혼란이 찾아왔다. 왜인지는 모르겠지만, 나는 이제껏 그에게 여자가 있다고 생각해 왔다. 그리고 그 상대는 틀림없이 지금 눈앞에 있는 이 여자라고 믿어 의심치 않았었다. 그런데 아니란다. 그럼 다른 여자인가?

'나는 대체 지금까지 무슨 생각을 하고 있었던 거지?'

미안함과 죄책감이 동시에 몰려왔다.

그럴 만큼 얍삽한 성품이 아니라는 사실을 알면서도 나는 왜 그런 엉뚱한 생각을 한 것일까. 이제까지 엄청난 오해를 하고 있었다는 사실 앞에서 나는 조금 충격 받았다. 그런데 그런 순간에 나는 왜 하필이면 순식간에 물기로 가득 차는 그녀의 눈동자를 보고 만 것일까.

그의 입에서 '친동생이나 다름없는 아이' 라는 말이 나오기가 무섭게 세차게 흔들리다 결국 물기를 가득 머금는 그녀의 눈동자가 아프게 눈에 와 박혔다. 이건 또 어떻게 돌아가는 상황인가. 설마, 그대 지금 짝사랑 중이시오? 유치원 다닐 때부터 지금까지? 강도가 다른 충격에 가슴 한복판이 다시 싸하게 물들었다.

"그런데 상대가 많이 다쳤나?"

울렁거리는 남의 속사정도 몰라주고 고 사장이 물을 한 잔 따라 마시면서 태연히 물었다.

"네? 아, 그게 다리가 부러졌대요."

"다리?"

"네. 엎어치기가 정통으로 들어갔거든요. 덕분에 근신당하게 생겼어요. 후우, 잘리면 뭘 하지?"

에? 엎어치기? 근신?

승무원이라는 그녀의 신분과 엎어치기를 연결하다가 나는 간신히 상황을 인지했다. 설마 그대 승객을 엎어 메쳐서 다리를 분질러 놓은 거요? 진짜? 경악 어린 내 표정을 봤는지 그녀가 대수롭지 않게 고개를 끄덕였다.

"그러게 남의 엉덩이는 왜 만지고 지랄이래, 나쁜 새끼."

"병원, 안 가 봐도 되니?"

"뭐하러 가요. 그냥 있을래요. 근데 식사는 하셨어요? 저 배고픈데."

언제 울먹였었냐는 듯 그녀가 거침없이 제안했다.

"오빠, 우리 밥 먹으러 가요."

대답 대신 고 사장이 나를 바라보았다.

아니, 왜 나를 보시는지? 제안을 받은 건 고 사장이고 결정적으로 나는 배가 전혀 안 고픕니다마는. 비행기 타고 날아오는 동안 주면 주는 대로 열심히 받아먹은 덕분에 아직도 배가 든든했다. 정확히 말하면 배부르다. 여기서 더 먹으면 정말 올챙이처럼 배가 툭 튀어나올지도 몰랐다.

"다, 다녀오세요."

"음?"

마음에 안 드는 대답이었는지 고 사장의 한쪽 눈썹이 슬쩍 일그러졌다. 그에 나는 또 황급히 덧붙였다.

"저는 아직 배가 불러서요. 같이 다녀오세요."

"……."

"정말 배가 부른데……."

고 사장이 팔짱을 꼈다. 입술이 단단히 다물리는 것이 보였다. 그에 나는 또 무서워져서 속눈썹을 파르르 떨고 말았다. 아, 난 왜 이렇게 뿔난 고 사장이 무섭지?

"조, 조금은 더 먹을 수 있을 것 같기도……."

"가지."

그가 거침없이 나를 잡아끌었다.

끌려가면서 애심 씨를 돌아보니 그녀도 기가 막혔는지 작은 얼굴 가득 황당하다는 표정을 짓고 있었다.

"헤이!"

연락을 받은 마이클이 번개처럼 날아왔다.

그가 운전하는 차를 타고 우리는 느긋하게, 혹은 허탈한 몰골로 현지의 식당을 찾았다. 그리고 그날 밤 나는 지나친 과식으로 인해 기어이 체해 손가락을 따야 했다.

쨍하게 뜬 태양이 머리 꼭대기를 달구는 한낮이었다.

"뭔가 특별한 기운 같은 게 느껴지지 않습니까?"

능글능글 웃으면서 마이클이 물었다.

"혹은 밤에 좋은 꿈을 꾸었다거나?"

"별로요. 아무 느낌 없는데요. 꿈도 안 꿨고."

"허어, 그럴 리가. 지금쯤 뱃속에서 후의 주니어가 세포분열을 하고 있을 시기인데."

"에? 뭘 해요?"

코를 박고 있던 지도에서 시선을 떼고 니는 마이클을 돌아보았다. 눈까지 게슴츠레하게 뜨고 그가 더 능글맞게 속삭였다.

"그거 있잖습니까. 허니문 베이비. 얼굴을 보니 아주 그냥 불타는 밤을 보낸 것 같은데, 곧 좋은 소식이 있겠지요? 움허 허허."

그러니까 우리는 그런 사이가 아니라니까 그러네.

"좋은 소식은 무슨."

맹세하건대, 허니문 베이비 어쩌고 하는 게 생길 만한 일은 절대로 없었다. 첫날밤과 같은 해프닝도 벌어지지 않았다. 내가 수줍어서가 아니라 고 사장 옆에 딱 붙어 다니는 누구 덕분에. 얼마나 다정하게 붙어 다니는지 모르는 사람뿐만 아니라 아는 사람이 봐도 나랑 고 사장이 아닌 그 둘이 신혼여행을 온 부부처럼 보였다. 그리고 나는 영락없는 환자처럼 보이는 중이었고.

다시 말하지만 마이클의 상상처럼 불타는 어쩌고는 없었다.

내가 지금 다크서클이 한 자나 늘어지고 얼굴빛이 창백한 건 불타는 밤이 아닌 너무 많이 처먹은 탓이었다. 체해서 어제 하루 종일 누워 지내는 바람에 얼굴이 누렇고 눈 밑은 꺼멓게 죽어 버렸다. 그리고 지금 내 주둥이가 나온 건 배가 고파서다. 어제, 오늘에 걸쳐 종일 굶었더니 세상이 다 누렇게 보였다. 이런 마당에 웬 허니문 베이비.

그 여자에게 밥을 먹이겠다고 나까지 같이 끌고 나가서 기어이 꾸역꾸역 먹게 만들어 반쯤 죽다 살아나게 만든 고 사장과 허니문 베이비? 그 베이비 반품일세!

"밥이나 먹으러 가죠."

킬킬 웃는 마이클을 다그쳐 놓고 다시 지도에 코를 박았다.

고 사장이랑 애심 씨는 그녀가 다리를 분질러 놓은 사람을 만나러 갔다. 한국 땅에서 힘 좀 쓰는 사람인지 하도 난리를 쳐서 대화를 좀 해야겠단다. 덕분에 내가 이렇게 마이클이랑 둘이 관광을 다니게 된 것이다. 신혼여행을 온 국제커플이라는 오해를 받으면서.

하와이에 왔으니 볼 것 다 보고 할 것도 다해야 한다는 나의 주장 아래 우리는 아침부터 꽃목걸이인 레이(Lei)를 목에 걸고 다이아몬드 헤드에도 다녀왔고 와이키키 해변도 보았으며 지금은 이올라니 궁전에 다녀오는 길이었다.

"이 부근에 무슨 대왕상이 있다고 하던데."

"아, 저깁니다. 초대 카메하메하 대왕이십니다. 최초로 하와이 섬 전체를 통일하신 분이죠."

건성건성 말하며 그가 이올라니 궁전의 맞은편, 국기가 걸려 있는 이층 건물 쪽을 툭 가리켰다. 그러자 야자나무 사이에 황금색 모자를 쓰고 황금 망토를 두른 까만 동상이 하나 서 있는 것이 보였다. 한 손엔 기다란 창을 들고, 다른 팔은 어딘가를 가리키듯 높이 들고 있었다.

"그는 정말 훌륭한 왕이었습니다. 그가 살아 있는 동안 하와이는 어느 때보다 평화로웠죠. '나는 우리나라 땅속에 백

성들의 행복을 위한 나무뿌리를 심었소. 백성들은 땅을 가꾸어 그 나무를 자라나게 해야 할 것이오. 무한히 선을 행하시오.' 바로 대왕의 유언이었습니다."

"아, 멋있네요."

"암만요. 멋진 분이었죠. 그런데 카메하메하라는 이름이 무슨 뜻인지 아십니까?"

"무슨 뜻인데요?"

"고독한 사람."

처음으로 진지한 표정을 지으며 마이클은 잠시 고개를 주억거렸다. 그리고 말했다.

"후가 결혼했다는 소식을 들었을 때 사실 저는 아주 놀랐습니다. 그가 사랑에 빠졌다니. 믿을 수가 없었지요. 그러다 제수씨를 보고서야 안심을 했답니다."

"……?"

"후는, 카메하메하 대왕처럼 대단한 남자지만 그보다 열 배는 더 외로운 사람입니다. 그에겐 가족이 필요해요. 내 말을 믿어요. 제수씨라면 분명히 그를 행복하게 해 줄 수 있을 겁니다. 그 사실을 나는 첫눈에 알아보았거든요."

마이클도 눈이 나쁜가 보다.

고 사장은 애심 씨를 따라갔는데 왜 나를 보고 안심을 한단 말인가. 미안하지만, 그리고 대단히 유감스럽지만 고 사장에게 필요한 건 내가 아니라 그가 진짜로 사랑할 수 있는 다른 여자였다. 동서처럼 재벌집 딸이거나 혹은 똑똑하면서도 아주 아름답고 착한 그런 여자. 그에게 그런 여자가 생기기 전에 빚을 다 갚는 것이 나의 로망이었다.

"밥이나 먹자고요."

허탈하게 내뱉어 놓고 나는 긴 한숨을 내쉬었다.

축 가라앉는 내 모습을 마이클이 조금 측은한 시선으로 바라보고 있었다. '어, 사실은 그런 게 아닌데.', '후는 정말 괜찮은 놈인데.', '처자는 지금 뭔가 오해를 하고 있소.' 라는 대사가 시선이 닿을 때마다 소리도 없이 뚝뚝 떨어지는 것 같았다. 그래서 나도 반사하듯 그를 향해 똑같은 시선을 보내 주었다.

그대는 지금 심각한 오해를 하고 있소, 마이클.

이건 하늘과 땅과 고 사장과 나만 아는 일이지만…… 사실, 고 사장과 나는 진짜 부부가 아니랍니다. 그가 진짜 사랑하는 사람은 윤미숙이 아니라는 말이지요. 그러니 가족을 만들어 주고 또 그를 행복하게 만들어 줄 사람도 내가 아니에요.

고개를 돌려 그를 잠시 바라보기만 해도 진실은 금방 알 수 있을 터였다. 그는 사랑에 빠지지 않았나. 그리고 지금 그는 다른 여자와 함께 있다. 자신을 오랫동안 짝사랑해 온 여자와. 다시 짧은 의문이 스쳐 갔다. 왜 그는 그 여자와 결혼하지 않았을까? 그렇게나 잘 어울리면서. 설마 밀당 중인가?

갑자기 속이 휑하다. 너무 굶어 그런지 아니면 체기가 다 가시지 않은 건지 속이 다시 싸르르 아파 왔다. 그리고 나도 모르게 입 밖으로 튀어나온 한마디.

"아, 돌아가지 말까."

지나치게 맑은 하늘을 보며 뜬금없이 중얼거리는 말에 마이클은 거의 울 듯한 얼굴이 되어 나를 바라보았다. 고 사장을 버린다는 말로 알아들었는지 '제발 다시 생각해 보라.'는 말로 나를 설득했다. 그리고 나는 조금 쓸쓸했다.

여행은 그렇게 허무하게 끝나 버렸다.

시작이 그랬듯 짧은 여행 내내 나는 계속 고 사장과 시간을 보낼 기회가 없었다. 마이클은 그 점을 굉장히 난감해했지만 켕기는 구석이 있는 나로서는 딱히 해 줄 말이 없었다. 다음에 그들끼리 진짜 신혼여행을 온다면 그땐 내가 말하지 못했던 상황에 대해 자연스럽게 이해를 하지 않을까? 그리고 다른 누구도 아닌 그 덕분에 내가 생각보다 그리 쓸쓸하지 않았다는 사실도.

이제 와 고백하지만, 내내 붙어 다니는 바람에 나는 그만 마이클과 정이 들어 버리고 말았다. 처음 봤을 땐 산적이더니 겪을수록 좋은 사람이었다, 마이클은. 딱 하와이 사람처럼 유쾌하고 넉넉했다. 그래서 떠나오는 날 나는 고 사장을 버려둔 채 엉뚱하게 그를 붙잡고 울먹이고 말았던 것이다. 윤미숙 인생에 이제 해외여행은 두 번 다시없을 테니 그를 볼 날도 당연히 없을 거라 생각했기 때문이었다.

✄ ✄ ✄

샹들리에가 화려하게 반짝이고 있었다.

곳곳에 켜진 오렌지 빛이 수백 개의 크리스털 유리에 부딪쳐 난반사를 일으키는 모습이 마치 불타는 한 송이 꽃나무처럼 보였다. 눈이 부시다. 고개까지 젖힌 채 한참을 보다 나는 곧 고개를 내리고 주위를 둘러보았다.

테이블마다 둘러앉아 수다를 떠는 여자들의 모습이 정물화마냥 지루하게 이어지고 있었다. 비슷비슷한 차림에 거의 비슷한 소재를 가지고 이야기하는 여자들. 그녀들이 모두 몇이나 되는지 맞춰 보라고 하면 나는 아주 쉽게 대답할 수 있다.

정답은 백 명.

뭐하는 여자들인지, 무슨 이야기들을 하고 있는 것인지는 알 수 없지만 한 가지 사실만은 분명했다. 나도 그 여자들 중 하나라는 것.

문득 회의감이 찾아왔다.

내가 여기서 왜 이러고 있나. 엄청 비싸고 불편한 옷까지 차려입고 왜 혼자 멍하니 앉아 있는 건가. 대답은 하나였다. 고 사장이 나가라고 시켰으니까.

"지루한가 봐?"

멍하니 정신을 놓고 있는 사이 후덕하게 생긴 중년 여자가 다가왔다. 우아하게 틀어 올린 머리에 단아한 모양의 비녀를 꽂은 여자였다. 처음에 홍 여사라고 소개 받은, 이 모임의 회장님이셨다. 알아차리기가 무섭게 벌떡 일어섰다.

"아, 아니에요. 제가 잠시 딴생각을 하느라."

"그래? 아, 이름이…… 미숙 씨라고 했었나?"

"예, 예! 윤미숙입니다, 회장님."

"그래요, 미숙 씨. 잠깐 앉아도 될까?"

"그럼요!"

냉큼 자리를 마련해 주고 물러나 앉자 그녀는 마치 여왕처럼 거만한 자세로 마주 앉았다. 뭐가 그리 좋은지 얼굴 가득 흐뭇한 웃음을 머금은 채였다. 그 얼굴로 나를 한참이나 유심히 바라보았다. 타는 듯한 시선에 얼굴이 뜨거워질 정도였다.

"아, 미안. 미숙 씨를 직접 보고 나니 내가 안심이 되어서."

응? 무슨 소리인지 모르겠다.

"사실은 부탁이 있어서 왔어."

"네? 부탁이라니요?"

"뭐, 큰일은 아니고. 여기 이거."

긴장해서 바라보는 내게 그녀가 작은 종이 카드를 한 장

내밀었다.

마치 생일 카드나 메모 카드처럼 생겼는데 커버가 상당히 고급스러웠다.

"고 사장한테 전해 줬으면 해서."

"이게 뭔데요?"

"그건 알 거 없고 그냥 전해 주기만 하면 돼. 그럼 고 사장이 다 알아서 할 테니까. 부탁 좀 해."

그 말을 끝으로 그녀는 확 일어서서 다른 자리로 옮겨 가 버렸다.

용건은 그게 다였고 나에겐 더 이상 볼일이 없다는 사실을 증명하듯이 아주 매몰찬 태도였다. 소리 없는 웃음이 주위로 빠르게 번져 가고 있었다. 그 묘한 분위기에 질려 있다가 나는 결국 보통 때보다 조금 일찍 자리에서 일어나고 말았다. 어차피 이곳에서 내 존재에 신경을 쓰는 사람은 아무도 없었으니까.

다행히 돌아오는 길은 그리 길지 않았다.

모임은 집 가까이에서 있었고 그 길은 내게 이미 충분히 낯익었기 때문이다. 돌아오자마자 나는 상처 입은 마음을 달래려는 듯 미친 듯이 집안일에 몰두했다. 정신까지 쏙 빼놓고 구석구석마다 쓸고 닦았다. 한참이나 그러고 있자 일하는 아주머니들이 도끼눈을 뜨고 앞을 척 가로막았다.

"새댁!"

"네?"

"지금 우리 못 믿어서 이러는 거야?"

"아니, 그게 무슨 말씀이세요?"

"못 믿어서 그러는 게 아니면 왜 만날 먼저 나와서 우리가 할 일을 다 해놓는 거냐고?"

강 씨 아주머니가 팔짱을 척 끼고 사납게 눈썹을 세웠다.

"이래 봬도 우리 전문가야. 요리사 자격증도 다 있고 경험도 많은. 이름만 대면 알 만한 유명한 집안에서도 많이 일해 봤어. 새댁이 이러지 않아도 우리가 다 알아서 잘한다고."

"저, 저도 알죠."

"알면 여기 일은 관두고 새댁은 새댁 일을 해. 공연히 먼 시장까지 가서 구질구질한 재료 사들이느라 시간 낭비하지 말고. 아무리 시골에서만 살았다지만 어떻게 이렇게 세상물정을 몰라? 이젠 사장님 얼굴도 좀 생각을 해야 할 것 아냐."

구구절절 이어지는 말에 고개가 점점 저 아래로 수그러들었다.

"새댁이 자꾸 이러면 우리 다 관둘 테니까 그렇게 알아."

탕! 냉정한 일갈과 함께 두 아주머니들이 횅하니 사라졌다.

그제야 긴 한숨이 쏟아졌다. 나름대로는 잘해 보자고 한 짓인데 어쩌다 일이 이렇게 꼬인 것일까.

"내가 뭘 어쨌다고."

걸레를 들고 세탁실로 향하며 나는 힘없이 중얼거렸다.

사방이 적이라는 사실을 잠시 잊고 있었던 게 문제였을까. 사실은, 여행에서 돌아오자마자 할머님이 계신 식당으로 갔다가 한 시간도 안 되어서 쫓겨났다.

'사실은요, 언니. 오빠는 우리가 여기 있는 거 엄청 싫어하세요. 만날 장사 그만두고 같이 살자고 했는데 할매가 여기서 죽고 싶다고 버티고 있는 거거든요. 그러니까 너무 자주 오고 그러지 마세요. 언니가 자주 오면 괜히 고생시킨다고 오빠 화내요.'

어쩐지 갈 때마다 과하게 눈치를 보더라니 그런 사연이 있었단다. 그래서 결국은 잠깐씩 얼굴을 비추는 것 말고는 찾아가서 편하게 앉아 있을 수가 없게 되었다. 물론, 그런 게 아니라도 어차피 편하게 보낼 시간 같은 건 없었다.

'나머지는 여행 다녀와서 이야기하지.'라고 하더니 정말로 그는 많은 이야기를 했다. 아니, 내게 많은 일거리를 주었다. 우선, 나는 개인 선생님을 모셔 놓고 공부를 해야 했다. 영어, 불어 같은 외국어부터 교양에 에티켓까지. 뿐만 아니라 요리교실을 빙자한 무슨 사교 모임에도 나가야 했고 2주에 한 번은 다른 부인들과 봉사활동에도 참여해야 했으며 때로는 고 사장과 함께 무슨 목적인지 알 수 없는 파티에 참석하기도 했다.

덕분에 계속해서 정신없는 시간을 보냈는데 그럴수록 이

상하게 점점 더 고립되어 가는 느낌이 들었다. 마치 발 디디고 선 자리만큼의, 딱 한 뼘만 한 섬에 갇힌 기분이었다. 그건 아마도 주위 대부분의 사람들이 나를 탐탁지 않게 여긴다는 사실을 눈치챘기 때문일지도 몰랐다.

비서는 여전히 나를 싫어하고 시동생은 나를 한심하게 보는데다 고 사장은 별로 관심이 없고 아주머니들은 나를 경쟁자로 여기며 짜증을 낸다. 그리고 몇몇 모임에서 만나는 '사모님들'은 나를 따돌리는 중이었다. 이름 하여 왕따.

심한 건 아니고, 고 사장 때문에 어쩔 수 없이 붙여 놓기는 하지만 도저히 격이 맞지 않다고 여기는지 잊은 척 연락을 빠뜨리거나 비아냥거리는 소리를 가끔씩 하는 편이었다. 그럼 집에서는 편하냐면 그것도 아니었다. 말했다시피, 나는 집에서도 왕따를 당하는 중이었으니까.

"후우, 저 넓은 땅을 그냥 놀려 두다니 아깝다."

테라스가 깔린 넓은 뒤뜰을 보며 나는 또 한숨을 내쉬었다.

잘 꾸며진 정원이니 보기는 좋지만 저 넓은 땅에 하필이면 잔디 따위나 심을 건 또 뭐였단 말인가.

"저 정도면 파도 심을 수 있고 고추도 심고 가지랑 상추랑 호박을 심어도 남을 텐데. 대추나무랑 감나무랑 포도나무도……. 후우, 내가 왜 이러지?"

집도 넓고 마당도 넓은데 왜 이렇게 꽉 막힌 듯 답답한 느낌이 드는 것인지 모르겠다. 담이 높아서 그런가, 아니면 하늘이 덜 푸르러서 그런가. 아주머니들이 퇴근해 순식간에 텅비어 버린 집 안을 배회하듯 혼자 어슬렁거리다 정원이 바라다 보이는 넓은 창 앞에 주저앉았다.

"사서 고생이라더니."

무릎을 세우고 두 팔로 끌어안은 채 멍하니 중얼거렸다.

내가 왜 이러고 있어야 하는지 도무지 모르겠다. 그냥 결혼해서 할머님만 잘 모시면 다 끝나는 건 줄 알았는데 전혀 생각지도 못했던 일들을 하느라 더 많은 시간을 보내야 하다니. 할머님께는 '둘이 잘 살고 있습니다.' 하는 모습만 보여 드리면 되고 살림은 아주머니들이 하고 나는 공부를 하거나 생판 모르는 사람들과의 모임에 참석한다.

공부와 낯선 사람을 만나는 일.

두 가지가 다 내가 제일 자신 없어 하는 일이었다. 공부에서 손을 놓은 지는 벌써 십 년이고 낯선 사람은 무서웠다. 시골에서야 다 아는 사람들이니 딱히 낯을 가리고 자시고 할 일도 없었지만 여긴 아예 죄다 낯선 사람들뿐이니까. 더구나 그 낯선 사람들이 애초부터 나를 마음에 들어 하지 않는 상황에서는 더더욱.

"부모님은 뭘 하시는지, 학교는 어딜 나오고, 가진 재산은 얼마이며, 일가친척이 누구인지는 왜 그렇게들 물어 대는 거야?"

만나는 사람마다 마치 짜기라도 한 듯 똑같이 물어 대는 통에 나는 거의 질려 버릴 지경이었다. 묻는다고 따박따박 대답을 하는 나도 웃기지만 결국엔 말투까지 달라져 버리는 사람들의 태도도 이상했다. 우리 집 도우미 아주머니들이 처음엔 나를 사모님이라고 불렀다가 지금은 새댁이라고 부르는 것처럼 말이다.

"하아, 집에 가고 싶다."

여기보다 훨씬 좁고 누추하긴 하지만 그래도 거기 가면 답답한 마음이 확 편해질 것 같았다.

만날 걸어 다니던 마을 길도 그립고 과수원들과 먹을거리 많은 읍내 장날도 그립다. 좁고 답답해서 허구한 날 떠나고 싶다고 노래를 했던 곳이 이렇게 그리워질 줄은 나도 미처 몰랐다. 이럴 게 아니라 기차 타고 몰래 갔다 올까?

"거기서 뭐하는 거지?"

"앗! 깜짝이야."

기척도 없이 고 사장이 불쑥 나타났다.

기겁을 하고 놀라 나도 모르게 펄쩍 뛰어올랐다. 이러다 간도 떨어질라. 고양이 띠인지 사람이 왜 번번이 인기척 하나 없이 다니느냐 말이다.

"오, 오셨어요? 초인종 누르시지 않고요."

"눌렀는데 대답이 없어서 집에 없는 줄 알았어."

"그, 그러셨어요? 이상하네. 못 들었는데."

당황해서 나는 또 어색하게 웃었다.

아무리 넋을 완전히 빼놓고 있었다지만 그 큰 초인종 소리도 못 듣고 사람이 들어오는 것도 몰랐다니 조금 민망하다. 내가 원래 이렇게 둔한 애는 아니었는데 말이다.

"저녁은요?"

"먹었어."

"네에."

저는 안 먹었습니다, 고 사장.

요즘 이상하게 입맛이 없고 하루 종일 안 먹어도 배고픈 줄도 모르겠더라고요. 이제 본격적인 가을이라고 저도 가을을 타기 시작하는 걸까요?

확실히 요즘 먹는 게 줄긴 했다.

할머님이랑 아가씨 모시고 먹을 때나 조금 먹는 시늉을 할까 보통 때는 귀찮아서 그냥 넘기고는 한다. 그러다 가끔 허기가 지면 아버지가 보내 준 사과만 한두 개 오물거리고 마는데 어떨 때는 그것도 배가 불러서 다 못 먹을 때도 있었다.

"별일 없었나?"

무심히 바라보며 그가 물었다.

습관처럼 날마다 묻는 말이라 내 대답도 매일 똑같았다.

"없었어요. 할머님도 괜찮으시고 아가씨도 여전하시고요."

"시장에 갔었나?"

"아, 그게…… 네. 선주 씨가, 아니 동서가 애기를 가졌다고 해서요. 축하할 겸 같이 봤어요. 아, 참! 그 소식 들으셨어요?"

"음. 낮에 은준이랑 통화했어."

"네에. 많이 좋아하시죠? 할머님이랑 아가씨도 많이 좋아하셨어요. 동서도 그렇고."

솔직히 말하면 거의 잔치 분위기였다.

만날 이년아, 저년아 하던 할머님도 오늘만큼은 '아이고, 요 이쁜 것'이라고 하면서 동서를 챙겼고 아가씨는 아가씨대로 조카가 생긴다고 신나서 온 동네에 자랑을 하러 다녔다. 그리고 나는 귀하신 몸이 된 동서에게 주문 받은 요리를 척척 해다가 바쳤고. 입에 맞았는지 쉬지도 않고 정말 복스럽게 잘 먹더라.

"그럼 저는 이만 들어가 볼게요. 쉬세요."

반듯하게 서서 빤히 바라보는 그에게 넙죽 고개를 숙여 주고 나는 냉큼 돌아섰다.

요즘 많이 바쁜지 이른 아침에 나가 늦은 저녁이나 밤 혹은 새벽이나 되어야 들어오는 사람인데 별일도 아닌 거 가지고 쉴 시간을 빼앗을 수는 없었다. 뭐, 딱히 더할 말이 없기도 했지만.

턱!

그가 돌아서는 내 손을 잡아챘다.

"왜, 왜요? 뭐 필요한 거 있으세요?"

"아니."

"그럼……."

의아해서 바라보자 그가 긴 한숨과 함께 나를 슬쩍 잡아끌었다.

어쩐지 끌어당기는 손길이 제법 은근했다. 눈빛이랑 분위기도 조금 끈끈하고 기름진 것이 언젠가 겪어 본 바로 그 느낌이었다. 그때, 하와이에서……. 그런 사실을 느끼기가 무섭게 손이 움츠러들었다.

"아! 까, 깜빡했다."

잡힌 손을 황급히 빼내며 나는 조금 부산스럽게 입고 있는 앞치마의 주머니를 뒤졌다. 손바닥만 한 종이 카드를 찾아 두 손으로 공손히 내밀었다.

"저기, 이거."

"음? 뭐지?"

"그, 그냥 보세요."

그냥 열어 보시오, 고 사장.

뭔지는 모르겠으나 그냥 주면 다 알아서 할 거라고 그랬소. 아, 뭘 다 알아서 한다는 것인지는 나도 모르고 며느리도 모르지만 고 사장은 잘 알고 있을 거라고 믿겠소.

말했다시피, 나는 낯선 사람들과의 사교 모임에도 나가고 봉사활동을 가장한 유한부인들의 소풍 놀이에도 참가하고 있었다. 오늘 나간 모임도 그중 하나였다. 바로 그 자리에서 회장님께 받아 온 종이 카드였다.

내 것이 아니라 차마 안은 보지 못했지만 예상하건대, 아마도 또 무슨 파티나 모임의 초대장이 아닌가 싶었다. 뭐 그런 것치고는 종이가 지나치게 작긴 하지만 여사님들의 성격이 제각각이듯 초대장도 제각각이라 그냥 그런가 보다 할 뿐이었다.

종이 카드를 받아 든 그가 알 듯 모를 듯 의아한 시선을 보내고 있었지만 못 본 척하고 나는 도망치듯 잽싸게 방으로 들어왔다.

"후우, 살았다."

방문을 닫고 나서야 긴 안도의 한숨이 쏟아졌다.

이것도 신혼여행 이후 달라진 것 중의 하나였다. 전에도 그랬지만 여행 후에 나는 어쩐지 고 사장이 더 어렵게 느껴지기 시작했다. 아무 것도 몰랐을 때는 그냥 막연히 '대단한 사람이구나.' 하고 생각했었는데 파티에 가고 모임에 가고 주위에서 하는 말들을 듣다 보니 그가 얼마나 대단한 사람인지 직접 피부로 느끼게 되었다.

"역시 때깔이 남다르면 사람도 남다른 거지."

여사님들이 모여서 때마다 하는 이야기가 '아무개네 재산이 얼마네.', '뉘 집 딸은 누구랑 결혼했는데 그 집 재산이 얼마네.', '심심해서 유럽으로 쇼핑 갔더니 누가 얼마치를 샀네.' 하는 것들뿐이라 나도 자연스럽게 주워듣는 게 많았다. 결혼 전이나 지금이나 고 사장이 딸을 가진 여사님들의 관심을 얼마나 많이 받고 있는지, 천문학적이라는 그의 재산이며 파워가 얼마나 강력한 것인지에 대해서도 귀가 닳도록 들었다.

재벌 딸이랑 결혼한 시동생만 해도 이미 유명한 빌딩의 주인이며 그룹을 이어받을 후계자라고 소문이 짜한데 그 형인 고 사장은 또 더 대단하다는 거다. 그 부분에서 나는 일찌감치 할 말을 잃고 찌그러지고 말았다. 충격이 하도 커서 내가 얼마나 무지했는지에 대해 고찰할 여유도 없었다.

아무튼, 그런 사실들을 알게 된 후 나는 극도로 몸을 사리기 시작했다.

집에서나 밖에서나 실수로라도 그의 신경을 건드리지 않도록 조심 또 조심하면서 가능한 한 존재감이 없게 움직였고 다른 한편으로는 몰래 일자리도 찾고 있었다. 돌아가는 상황으로 보아 내 예상보다 더 빨리 고 사장에게 여자가 생길 것 같아서다.

아닌 게 아니라, 오늘만 해도 여사님들이 참한 여자 하나 소개해 주는 게 어떠냐며 서로 이름을 하나씩 거론하기도 했으니까. 그리고 굳이 그런 소개가 아니더라도 그는 이미 여러모로 여자들의 시선을 받고 있기도 했다. 기회가 많으면 선택도 빨라지는 법이다. 나는 곧 그에게 여자가 생길 거라는 사실을 직감하고 있었다. 진짜 결혼을 하고 싶은 여자 말이다.

"얼른 돈을 벌어야 하는데. 뭘 하면 좋지?"

고 사장에게 여자가 생기면 나는 당장 빚을 갚고 이곳을 떠나야 했다. 그러자면 어떻게든 돈을 마련해야 하는데 지금으로서는 마땅히 할 일도 없고 그럴 만한 시간도 나지 않았다. 나가는 모임만 줄여도 어떻게 시간이 나긴 할 테지만 역시 사정상 하루 종일 일하는 건 불가능하다.

머리를 싸매고 반듯하게 누워 나는 천장을 바라보았다.

나는 여전히 주방 옆의 작은 방을 사용하고 있었다. 아주머니들이 간간이 쉴 때 사용하는 방이라서 낮에는 같이 쓰는 거나 마찬가지였지만 그래도 충분히 넓으니 괜찮았다. 한동안 이런저런 일거리를 생각하면서 가만히 누워 있다가 꾸물꾸물 기어가 가방에서 핸드폰을 꺼내 들었다. 문득 영은이가 떠올랐다.

"맞다. 영은이가 있었지. 연락을 한다는 게 깜빡했네."

고등학교 때 단짝 친구였던 영은이는 졸업하고 바로 취직을 한 나와는 달리 지방에 있는 한 대학으로 진학을 했다. 그리고 졸업과 동시에 서울로 독립을 했다는 소식을 들었는데 지난해 명절에 내려와 그 소식이 사실임을 직접 증명해 주었었다.

"한번 놀러오라고 하더니. 잘 지내고 있나?"

밤이라서 그런지 더 궁금하고 보고 싶고.

잠시 망설이다 결국 나는 그녀의 번호를 힘주어 꾹꾹 눌렀다. 신호음 대신 신나는 음악 소리가 터져 나왔다.

"고만. 됐다니께. 힘든데 고만혀."

누운 채 할머님이 힘겹게 손사래를 치셨다.

깨끗하게 발을 닦아 드리고 잠시 부드럽게 주물러 드리고 있을 때였다. 한동안 크게 편찮으셨다가 최근 들어 조금 나아지신 편이라 나는 아직 걱정이 많은데 정작 당신께서는 이래도 저래도 늘 괜찮다는 말씀뿐이시다.

"아무래도 제가 여기에서 지내는 게 좋을 것 같아요, 할머니."

"으응? 아니여. 괜찮아. 멀쩡한 집 놔두고 노인네 냄새나고 시끄러운 곳엘 왜 온다는 겨. 큰애 뒷바라지는 어쩌고?"

"그래도 할머니가 이렇게 편찮으신데……."

"아, 괜찮아. 살 만혀. 뭐 살 만큼 살았으니께 이대로 죽어도 하는 수 없는 것이고."

"서운하게 왜 그런 말씀을 하세요? 동서가 애기도 가졌으니까 증손자도 보시고 더 오래 사셔야죠."

"아이고, 이 꼴을 하고 더 살란 말여? 거는 욕심이지."

욕심이 아니라 제 희망 사항입니다, 할머님.

할머님이 계셔야 그나마 제가 돈벌이 할 시간을 얻을 수 있고요 또 덜 외롭거든요. 사실은, 고 사장 집보다 할머님이 계신 여기가 더 편하답니다. 그러니까 이런 저를 위해서라도 제발 오래오래 사세요.

볼품없이 작아진 할머님의 발을 잡고 나는 속으로 그렇게 빌었다. 그런 내게 할머님이 또 가만히 손짓을 하셨다.

"야야, 저기 저 보따리 좀 열어 봐라."

"보따리요?"

머리맡에 얌전히 놓아둔 시커먼 비닐봉지를 가리키며 할머님이 배싯 웃었다. 가만히 가져다 열어 보니 반짝이는 까만 에나멜구두 한 켤레가 나왔다.

"니 꺼여."

"네에? 이걸 왜……."

"너 주려고 은수 시켜서 사온 겨. 맞는지 한번 신어 봐."

의외의 선물 앞에서 나는 조금 먹먹해졌다.

이런 선물은 처음이었다. 몸도 불편하신 양반이 그래도 손자며느리라고 생각해 주신 마음이 너무 커서 감히 거절할 생각도 못하고 나는 시키는 대로 조심스럽게 신발을 신었다. 약간 큰 듯한 느낌이 들었지만 내색 않고 환히 웃었다.

"딱 맞아요, 할머니. 너무 예뻐요. 감사합니다."

"그려. 잘 맞으니 다행이여. 이쁘다. 원래 시집오는 며느리한테는 신발은 안 사 주는 게 맞는 겨. 신발 사 주면 신고 도망간다잖여."

"그, 그래요?"

"암만. 그래서 우리 시엄니도 평생 내 신발은 안 사 주셨구먼. 그래서 하는 말이여. 그거 신고 도망가라는 거 아니여. 혹, 딴 데 가더래도 꼭 큰애 옆으로 돌아오라고 사 주는 겨."

뭔가를 알고 하시는 말씀일까?

지은 죄가 있다 보니 공연히 심장이 철렁해서 나도 모르게 고개가 떨어졌다.

"불쌍한 놈이여. 부모를 한날한시에 잃고 애가 엄청이 고독스러워졌구먼. 그놈이나 은준이 놈이나 어떻게 된 게 제 품 안의 사람밖에 몰러."

"할머니."

"후우, 지 동생들 말고 곁에 사람 하나 없을까 봐 노상 걱정이었어. 그런데 이제 내가 맘을 놨다잉. 인심 넉넉한 사람을 들였으니 다 되었어. 괜찮을 거여. 이렁저렁 살면서 새끼도 낳고 그러면 괜찮을 거여. 암만! 괜찮지. 내가 다 안다니께."

작은 목소리로 혼잣말처럼 말하다 할머님은 곧 잠이 드셨다.

가슴이 온통 쓰라렸다. 내가 대체 무슨 짓을 한 걸까. 사실이 아닌데, 모든 게 거짓인데, 이 죄를 다 어찌하나. 죄스러운 마음에 반짝이는 구두에 코를 박고 나는 조금 울었다. 할머님은 잠이 드셨는데 그분이 한 말은 생생하게 남아 혼자 앉은 내 귓가에서 오래도록 맴돌았다.

감정에 취해 한참이나 더 미적거리다 나는 간신히 발길을 돌렸다. 마음 같아서는 더 있고 싶었지만 오늘은 영은이를 만나 보기로 했기 때문에 조금 일찍 나선 길이었다. 보통 때 같으면 그냥 집으로 돌아가 고 사장이 퇴근하길 기다렸다가 방에 처박혀 멍하니 시간을 보내는 게 다였을 텐데 이렇게 달리 갈 곳이 생겼다는 사실이 조금 신기했다. 어느새 선선해진 가을바람이 불어오고 있었다.

"윤미숙?"

한참만에야 물어물어 간신히 찾은 약속 장소에서 서성거리고 있을 때였다. 늘씬한 몸에 원피스를 화려하게 차려입은 여자가 다가오더니 장난처럼 어깨를 툭 쳤다.

"어? 영은이니?"

"그럼 나지 누구겠어?"

"우와, 너무 달라져서 몰라봤어."

입이 쩍 벌어졌다.

지난해에 시골에서 봤을 때는 맨얼굴이었는데 오늘은 꼼꼼하게 화장을 하고 옷도 근사하게 차려입고 있었다. 요즘 유행한다는 킬힐 구두에 반짝이는 액세서리며 명품이라는 가방까지 들었다. 아직도 촌티가 뚝뚝 떨어지는 나와 달리 영은이는 마치 이 동네에서 나고 자란 사람처럼 보였다. 그 유명한 강남여자 같았다. 환골탈태라는 말은 바로 이럴 때 쓰는 것임이 분명했다.

"그런데 네가 서울엔 웬일이야? 놀러왔니?"

커피숍 의자에 폼 나게 다리를 턱 꼬고 앉으면서 그녀가 물었다.

"아, 아니. 나 여기에서 지내고 있어."

"뭐? 네가 어떻게? 직장 잡았어?"

"응? 아, 그건 아닌데 찾는 중이야. 지금은 아는 분 댁에서 잠깐 신세지고 있고."

생각해 보니 내가 결혼 소식도 알리지 못했다.

원래 알릴 상황도 안 됐지만, 이제와 알리자니 우습기도 하거니와 어차피 곧 그 집에서 나와야 하는 처지라 차라리 말을 하지 않는 것이 더 나을 것 같기도 하다. 그에 어영부영 몇 마디를 덧붙이면서 나는 탁자 밑에서 손가락에 낀 반지를 빙글 돌려놓았다. 그렇게 해 놓으니 눈부시게 화려한 반지가 그냥 평범한 은반지처럼 보였다.

"애, 그래도 그 청바지에 티셔츠는 좀 심했다. 나이 서른에 그게 무슨 꼴이니?"

"응? 그, 그런가?"

농담 같은 타박에 조심스럽게 옷차림을 살폈다.

고 사장을 따라 각종 모임에 참석할 때 말고는 만날 끌고 다니는 옷이라서 한 번도 진지하게 생각을 해 본 적이 없었지만 지적을 당하고 나자 어쩐지 조금 후줄근해 보이는 것도 같았다.

"그래도 산 지 얼마 안 된 건데."

결혼 직전에 샀으니까 얼추 두어 달쯤 되었나 보다.

나름대로는 가진 옷 중 젤 비싼 바지에 젤 편한 티셔츠를 입었는데 내가 워낙 촌스럽다 보니 별로 돈 들인 태가 나는 것 같지는 않았다. 더구나 요즘 살도 조금 빠져서 목이 약간 헐렁해 보이는 것도 같고.

"넌 어떻게 지내? 잘 지내지?"

"물론이지."

"직장은?"

"잘 다니고 있어. 근데 어쩌면 곧 그만둘지도 몰라."

"어, 왜?"

나는 일거리를 못 구해 아쉬운데 너는 이 불경기에 뭐가 불만이라서 직장을 때려치운다고 큰소리냐. 혹시 결혼하나?

"그거 몇 푼 벌자고 일하는 게 너무 피곤해서. 사실, 계약 직에 일도 많은 곳이거든. 월급도 짜고."

"그럼 더 좋은 곳으로 옮기려고?"

"아니, 당분간은 그냥 쉬려고 해. 여행도 좀 다니고. 나, 주식으로 돈을 좀 벌어서 돈이 아쉬운 상황은 아니거든."

"주식?"

문득 고 사장의 취미 생활이 떠올랐다.

할머님의 말씀에 의하면 고 사장은 어렸을 때부터 주로 좋아하는 대상에만 관심을 집중하는 편이었는데, 그 좋아하는 게 하필이면 돈이 되어서 대학생 때부터 하루 종일 돈만 갖고 놀았단다. 다른 건 몰라도 돈 냄새 하나는 귀신같이 맡았다. 어찌나 돈을 잘 찾아다니는지 고 사장이라면 아마 사막에 내놓아도 석유 대신 돈을 캐 올 거란다.

아무튼, 무슨 벤처 기업을 상장해서 수백억을 받고 거대 기업에 팔아넘긴 것을 시작으로 본격적인 돈맛을 본 고 사장은 곧 능숙한 솜씨로 곳곳에서 떼돈을 벌어들이기 시작했다. 그리하여 오늘날 그의 주업은 은행에서 하는 합법적인 돈놀이, 부업은 기업을 상대로 한 금융업, 취미는 주식이 된 것이다.

그 주식 놀이로 영은이도 짭짤한 맛을 보았노라고 고백하고 있었다. 난데없이 충격이 몰려왔다. 마을금고에서 십 년이나 일한 나는 아직도 개털 신세에다 주식의 '주' 자도 모르는데, 은행이랑 별로 관련 없는 영은이는 무슨 복으로 고 사장과 같은 취미를 가지게 되었단 말인가. 뭐, 내가 꼭 부러워서 하는 말은 아니다.

"그거 재미있나?"

조금 진지하게 묻자 그녀는 잠시 생각을 정리하는 듯하더니 곧 고개를 끄덕이면서 말했다.

"돈이 늘어나는 걸 보면 재미있기는 하지."

"그래?"

"응. 백만 원으로 천만 원을 벌면 당연히 신나지 않겠니? 뭐, 누구나 다 그렇게 버는 건 아니지만."

백만 원으로 천만 원을 만든다?

귀가 솔깃해지는 말이었다. 그러나 동시에 '에이, 어쩌다 운이 좋았던 거겠지.'라는 생각도 들었다. 주식이라는 게 로또도 아닐진대 어떻게 그렇게 번번이 큰돈을 벌 수 있겠나. 다 사람에 따라 다른 것이고 절반쯤은 운인 게지. 거기에, 주식으로 돈 버는 게 그렇게 쉬운 일이면 지금쯤 우리나라엔 부자가 발에 밟힐 만큼 차고 넘쳐야 하는 것 아닌가?

부러움 반, 질투 반.

친구의 성공이 기쁜 동시에 상대적으로 더 초라해지고 만 내 신세가 별수 없이 조금 부끄러워졌다. 학교 다닐 때는 그래도 내가 공부를 더 잘했었는데 말이다.

"아무튼, 이렇게 만났으니까 오늘은 내가 한 턱 낼게. 먹고 싶다는 거 다 사 줄 테니까 뭐든 말씀만 하셔. 아, 너 아직도 칼국수 좋아하지?"

"응? 으응, 그렇지 뭐."

"좋아, 그럼 오늘은 내가 끝내주게 맛있는 칼국수를 사 줄게. 가자."

쾌활하게 손을 잡아끄는 친구를 나는 못 이긴 척 따라나섰다. 그리고 약속대로 정말로 맛있고 비싼 칼국수를 얻어먹었다. 뿐만 아니라, 그 뒤에도 이리저리 끌려다니며 디저트니 뭐니 해서 맛있는 걸 잔뜩 먹고 제법 폼 나는 가방도 하나 얻게 되었다.

그래도 친구가 좋긴 해서 나는 열여덟 살 그때처럼 오후 내내 영은이와 함께 큰 소리로 미친 듯이 수다를 떨고 서울 시내를 발바닥이 부르트도록 활보했다. 그동안 답답하게 막혀 있던 가슴이 그때만큼은 시원하게 뻥 뚫려 있었다.

—언니, 지금 어디예요?

늦은 저녁.

영은이와 헤어져 부랴부랴 집으로 돌아가는 길이었다. 전철을 잘못 타는 바람에 땅속에서 한참 헤매고 있는데 갑자기 전화벨이 울렸다. 끊어지기 직전에 간신히 받아 보니 아가씨였다. 그런데 무슨 일인지 목소리에 물기가 가득했다. 순간, 난데없이 섬뜩한 예감이 등줄기를 스쳐 갔다.

"집으로 가는 길인데요. 무슨 일 있어요, 아가씨?"

그냥 울먹이는 목소리를 들은 것뿐인데 온몸의 감각이 이상하리만치 예민해졌다. 이런 불길한 감각을 나는 과거의 어느 날에도 한 번 겪은 적이 있었다. 날이 잔뜩 선 목소리로 나도 모르게 다그쳤다.

"무슨 일인데요? 무슨 일이에요?"

—언니, 할매가…… 우리 할매가 갔어요.

"네?"

—오빠들이 할매를 병원으로 옮겼어요. 지금 병원 장례식장으로 가는 길이에요. 흑, 으흑. 빨리 오세요.

툭!

손에서 힘이 빠졌다.

내가 지금 무슨 소리를 들은 거지?

전화기 속에서 죽을 듯이 터져 나오는 아가씨의 울음소리가 환청처럼 까마득하게 멀어졌다 어느 순간 왁 하고 폭발했다.

휘청.

충격으로 크게 비틀거리다 나는 그대로 주저앉고 말았다.

할머님이 돌아가셨다.

8.

그림자

포기냐, 아니냐. 국수를 만드느냐, 아니냐.

—쿵푸 팬더(Kung Fu Panda, 2008) 中—

"아깝다. 저 넓은 땅을 그냥 놀려 둬야 하다니. 저 정도면 파도 심을 수 있고 고추도 심고 가지랑 상추랑 호박을 심어도 남을 텐데. 대추나무랑 감나무랑 포도나무도……. 휴우, 내가 또 왜 이러지? 병이 다시 도졌나."

창가에 서서 멍하니 뇌까리다 스스로 생각해도 니무 한심해 그냥 입을 다물었다.

폭풍 같은 겨울이 지나고 서울에도 다시 봄이 찾아왔다. 모르는 사이 햇볕이 점점 더 따뜻해지더니 겨우내 누렇게 말라붙었던 정원에서도 어느새 파릇파릇한 풀 쪼가리들이 돋아 나오고 있었다. 이때쯤이면 시골에서는 농사지을 준비를 하느라 한창 바쁠 것이다. 그럼 서울에 있는 나는? 물론 한가하다. 너무 한가해서 하루의 대부분을 이렇게 멍하게 지낼 정도였다.

"아부지는 잘 지내고 계신가."

막내가 대학에 합격해 서울로 오는 바람에 아버지는 지난달부터 시골집에서 혼자 지내고 계셨다. 그래서 밥은 잘해 드시고 계신지, 아픈 데는 없는지 내가 노상 걱정이다. 마지막 통화 내용이 그리 좋지 않았기에 더 그랬다.

사실은, 겨울에 막내가 서울에 있는 대학의 합격 통지서를 받아 오자 아버지는 내게 전화를 해 '같은 서울인디 뭐하러 또 돈을 쓰냐. 니가 같이 데리고 있어라.' 라고 하셨다. 그런데 내 처지가 처지이다 보니 차마 '그러겠습니다.' 소리가 안 나오는 거다.

'이제 막 할머님 49제 치렀어요, 아부지. 가게 정리하고 아가씨 모셔 왔다고요. 지금은 힘드니까 미주더러 당분간만 기숙사에서 지내라고 하세요.'

신경질적인 대답에 아버지는 '그랴, 그럼.' 하고 마셨지만 내 속은 지금도 푹푹 썩어 나가고 있는 중이었다.

나도 미주를 곁에 두고 싶은 마음이야 누구 못지않게 굴뚝같았다. 할 수만 있다면 미주랑 미준이까지 곁에 두고 직접 밥 챙겨 먹여 가면서 살펴 줄 수 있었으면 좋겠다. 그런데 이 사람 많고 집도 많은 서울 땅에 아직 내 한 몸 편히 누일, 내 소유의 방 한 칸이 없는 걸 어쩌란 말인가.

"남의 집에 맨입으로 얹혀살면서 식구까지 불러들이는 것도 예의가 아니지."

사실은, 내가 요즘 눈칫밥을 먹느라 고생이 심하다.

할머님께 보여 드리려고 한 결혼인데 그런 할머님이 돌아가셨으니 내 처지가 어떻게 되었겠나. 나는 꼼짝도 못하고 하루아침에 애물단지 신세로 전락하고 말았다. 할머님이 계실 땐 그래도 '귀한 손부님'이라는 소리를 들을 수 있었는데 더 이상은 아니었다. 당장 오늘이라도 고 사장이 '나가라.' 하면 나는 꼼짝없이 보따리를 싸야 했다. 물론, 돈도 갚아야 하고.

그런 이유로 이즈음 나는 거의 필사적으로 고 사장을 피해 다니고 있는 중이었다. 다행히 우리 아가씨가 좋은 사람을 만나 곧 결혼을 하게 되었기 때문에 그 준비며 이사 준비도 돕는다는 핑계를 대면 원하는 만큼 밖에서 시간을 보낼 수 있었다.

그래도 밤엔 어쩔 수 없이 기어 들어와 삼깐이나마 고 사장의 얼굴을 봐야 하지만 말이다. 그때마다 무슨 말이 떨어질지 몰라 나는 또 간이 콩알만 해져서 전전긍긍하며 그 몰래 발발 떠는 게 일이었다. 개 떨듯 떨어 대는 게 일상이라 이렇게 살다 정말로 명이 줄까 봐 무서울 정도였다.

"지난달처럼 또 출장이라도 가 주면 참 좋겠는데."

간혹 다니곤 하던 출장이지만 지난해까지만 해도 고 사장은 길게 집을 비우는 일이 거의 없었다. 건강이 좋지 않았던 할머님 때문이었는지 해외 출장이라도 하루 이틀, 아무리 길어도 사흘을 넘기지 않고 돌아왔는데 지난달엔 좀 멀리로 갔었는지 근 보름 만에 돌아왔다. 덕분에 그 보름 동안 나는 이 집에 온 이래 처음으로 맘 편히 지낼 수 있었다.

뭐, 쌓인 일이 있어 완전히 편했던 건 아니지만 적어도 쫓겨날 걱정은 안 했던 것 같다. 돌덩이 매달고 동해 바다에 수장되는 꿈도 안 꾸고.

"돈이 원수라더니."

한숨과 함께 어기적거리며 자리를 털고 돌아섰다.

시간을 보니 벌써 고 사장이 퇴근할 시간이 다 되어 있었다. 저녁을 준비해야 하는 시간이다.

"저어, 찌개…… 제가 할까요?"

주방으로 들어서면서 뭔가를 하고 있는 두 아주머니들에게 조심스럽게 물었다. 시큰둥한 대답이 날아왔다.

"하든지 말든지."

"사장님께서 새댁이 만든 걸 좋아하시니까 당연히 그렇게 해야지. 아가씨도 그렇고."

"아가씨 입덧 시작하셨다고 신경을 좀 쓰라고 하셨으니까 알아서 해. 대강해서 우리까지 혼나게 하지 말고."

"네에."

소심하게 대답해 주고 나는 부랴부랴 찌개를 만들고 봄나물이랑 몇 가지 반찬도 해 놓았다.

지난겨울, 애심 씨와 함께 용감하게 여행을 떠난 아가씨는 사막에서 웬 번듯한 남자를 하나 주워 왔다. 키도 훌쩍 크고 얼굴도 고 사장만큼이나 잘생긴 남자였다. 그 결과 결혼도 전에 벌써 아기가 생겨서 요즘 입덧을 하고 있었다.

다음 달이면 고 사장의 집 근처에 새로 지은 집으로 이사를 해 둘이서 본격적으로 같이 살게 될 테지만 어쨌거나 그 전까지는 아가씨를 보살피는 것도 내 몫이었다.

그런 아가씨가 제일 좋아하는 게 바로 내가 만든 음식이다.

다른 사람이 한 건 못 먹어도 사막에서 주워 온 남자가 사다 주는 거랑 내가 한 음식은 아무 탈 없이 다 먹어 주었다. 덕분에 애물단지 신세로 전락했음에도 불구하고 내가 그나마 쓸모없다는 소리는 아직 안 듣고 있는 것이다.

"어? 냉잇국이네요?"

주방으로 들어오기가 무섭게 아가씨가 향기를 맡고 눈을 반짝였다.

"혹시 안 좋아하세요?"

"아니요, 엄청 좋아해요. 봄이 온 것 같으니까요."

"다행이에요. 그럼 속도 괜찮으시고요?"

"네, 걱정 마세요. 이상하게 언니가 한 음식은 잘만 들어가는 걸요? 애도 좋아하나 봐요."

밝게 하하 웃으며 아가씨가 수저를 들었다.

모처럼 때맞추어 퇴근한 고 사장과 나란히 앉아 함께 저녁 식사를 하게 된 날이었다.

"어? 언니는 안 드세요?"

아주머니들과 주방 뒤에 서서 기다리는 내게 아가씨가 고개를 길게 빼고 물었다.

"아, 전 나중에 천천히 먹어도 돼요. 먼저 드세요."

"그러지 말고 같이 드세요. 난 언니가 챙겨 주는 거 좋은데. 또 모처럼 오빠도 있고."

바로 그래서 안 되는 거랍니다, 아가씨.

모처럼 제 시간에 퇴근해 밥상 앞에 앉았는데 제가 있으면 고 사장이 얼마나 짜증 나겠어요. 계속 데리고 있을 수도 없고 내쫓을 수도 없는, 눈엣가시 같은 존재라 어지간하면 눈에 안 띄어 주길 바라고 있을 텐데 말이지요. 저도 당장 쫓겨날까 봐 무섭고요.

말했다시피, 할머님이 돌아가신 이후 나는 어지간하면 고 사장 눈에 띄지 않기 위해 노력해 왔다. 집안일도 더 열심히 하고 참석하라고 하는 모임에도 부지런히 참석했으며 달 초에 해산을 한 동서도 잘 보살피고 또 아가씨에게도 많이 신경 쓰고 있었다.

겨울에 하도 정신이 없어서 아가씨가 걸레질을 하는 것도 모르고 있다가 그 자리에서 딱 걸려 하마터면 정말 꼼짝도 못하고 내쫓길 뻔했었기 때문에 지금은 절대로 그런 일을 만들지 않았다.

아무튼, 그일 이후 나는 아직 한 번도 고 사장과 마주 앉아 밥을 먹어 본 적이 없었다. 아주머니들과 같이 서서 그와 다른 식구들이 밥을 다 먹을 때까지 시중을 들다가 나중에 혼자 먹거나 귀찮으면 그마저도 그냥 건너뛰었다. 봄이라 그런지 통 입맛도 없고.

"와서 앉아."

가만히 지켜보던 고 사장이 불쑥 말했다.

"아주머니, 이 사람 밥 가져오세요."

"아, 아니에요. 전 괜찮아요. 나중에 먹을게요."

"나중에 언제?"

"그, 그게…… 나중에요."

별로 먹고 싶은 생각이 없소이다마는.

두루뭉술하게 말을 흐리자 고 사장의 눈매가 또 꿈틀거렸다. 입술도 굳게 다물리고 시선은 내 얼굴에 달라붙은 채 껌처럼 떨어지지 않았다. 어쩌라는 건가. 안 먹어도 그리 배가 고프지 않고, 먹어 봤자 소화도 잘 안 되는데. 언젠가 그랬던 것처럼 또 강제로 먹고 체해서 손가락을 따야 하나?

"언니, 요즘 입맛이 없어서 그러는 거예요?"

국의 간을 보다 말고 아가씨가 물었다. 이때다 싶어 냉큼 고개를 끄덕였다.

"네? 그, 그렇죠. 환절기니까 아무래도."

"그렇구나. 그럼 뭐 특별히 생각나는 음식은 없어요? 있으면 말만 하세요. 제가 다 사 드릴게요. 네?"

"아이, 아니에요. 그런 거 없어요. 집에도 맛난 것 많은데요. 아가씨가 몰라서 그렇지 저 틈틈이 잘 먹고 있어요."

"후우, 근데 왜 그렇게 자꾸 말라요? 이젠 뼈밖에 안 남은 것 같아. 언니, 어디 아픈 건 아니죠?"

"아유, 아프기는요. 이렇게 쌩쌩한데요. 아무 걱정 마세요. 저 정말 괜찮아요."

그저 띄엄띄엄 먹고 잠을 잘 못자서 그런 것뿐 내 몸뚱이는 여전히 멀쩡하기 그지없었다. 적어도 내 생각으로는 그랬다.

"밥 가지고 와."

고 사장이 집요하게 재촉을 했다.

오지 않으면 자신도 밥을 먹지 않겠다고 말하듯 수저를 내려놓고 팔짱을 척 끼었다.

아니, 대체 왜 이러시오. 아예 본격적으로 눈칫밥을 먹이고 싶어서 그러시는 게요? 힘든 건 알겠지만 어지간하면 지금까지 그랬던 것처럼 그냥 무시해 주면 안 되겠소?

조금 더 버텨 보았지만 소용없었다.

그의 단호한 태도와 아가씨의 재촉에 못 이겨 나는 밥을 챙겨 들고 조심스럽게 아가씨와 마주 앉았다. 시키는 대로 앉아 멍하니 밥을 떠 입에 넣었다. 지켜보는 고 사장의 눈초리가 무서워서 뭘 먹는지, 무슨 맛인지도 통 모르겠다.

"근데요, 언니. 언니는 아직 소식 없어요?"

냠냠 맛나게 밥을 먹던 아가씨가 이제야 생각났다는 듯 물었다.

"무슨 소식이요?"

"아이참, 아기요. 작은 오빠가 아빠 되었다고 요즘 좋아 죽으려고 하고 또 저도 이렇고……. 그래서 언니도 궁금해서요. 결혼한 지 한참이나 지났으니까 이제 생길 때도 되었잖아요. 아, 혹시 그래서 자꾸 마르는 거 아닌가?"

그러니까 나는 성모마리아도 아니고 달팽이도 아니라니까요.

다행스럽게도 애가 생길 일은 절대로 없었다. 누누이 말하지만 고 사장과 나는 그런 본격적인 사이가 아니니까. 거기에 더해 할머님이 돌아가신 이후 나는 쫓겨날까 봐 고 사장을 필사적으로 피해 다녔고 고 사장은 고 사장대로 눈코 뜰 새 없이 바빠서 거의 새벽에 나가 새벽에 들어오거나 출장을 떠나곤 했기 때문에 우린 길게 얼굴을 마주할 시간이 없었다.

뿐만 아니라, 동서의 득남과 아가씨의 갑작스러운 결혼 결심으로 인해 더더욱 바빠진 건 물론이었다. 바쁘고 어수선한 분위기가 간신히 진정 기미를 되찾은 것도 극히 최근의 일이니까 말 다한 것이다. 오죽하면 고 사장이 제시간에 퇴근하고 있는 요즘이 새삼스럽게 신선하게 느껴지겠는가.

"그, 그런 거 아니에요."

"아니에요?"

"네."

"그래도 혹시 모르니까 같이 병원에라도 가 볼까요?"

머리털이 쭈뼛 곤두섰다.

병원에 가면 내가 생물학적인 처녀라는 사실이 바로 증명되고 말 텐데 어떻게 해야 하나. 사실대로 털어놓자니 내 신세가 더 가련해질 것 같고, 위기를 넘겨 보자는 욕심으로 멀쩡한 고 사장을 고자나 게이로 만들자니 후환이 두렵다. 마음이 다급해졌다.

"안 가도 돼요. 아닌 거 확실히 알고 있으니까요. 그리고 살이 빠지는 것도 환절기라서 잠깐 입맛을 잃어서 그런 거고요."

"그런 것치고는 너무 많이 빠졌어. 이 기회에 종합검진을 받아 보는 건 어때?"

지금 나를 밀어 죽이시려는 게요?

도와주어도 시원치 않을 판에 고 사장이 사심 없는 얼굴로 내 옆구리를 찔렀다. 순간, 그냥 산부인과로 가 그를 사심 없이 고자나 게이로 만들고 싶은 강한 충동을 느꼈지만 역시 후환이 두려워서 참았다. 그래도 인정이 있지, '그게' 안 선다는 소문이 돌까 봐 선을 본 사람에게 맞선 당사자인 내가 더 큰 상처를 줄 수는 없지 않나.

"아, 아니에요. 저 정말 괜찮아요. 딱히 아픈 곳도 없고 기운이 없는 것도 아니니까요. 그리고 요즘 바쁘기도 하고."

"저 이사하는 것 때문에 그러세요?"

"네? 아, 그것도 있지만 선주 씨, 아니 동서한테도 가 봐야 하고 또 장독대도 만들어야 하고요."

장사를 하는 분답지 않게 할머님은 각종 장이며 김치까지 손수 담가 놓고 사신 분이었다. 덕분에 식당을 정리하면서 나온 장독이 열 개도 넘었다. 그 장독을 내가 다 받아 왔다. 원래는 아가씨가 가져가고 싶어 했지만 아기를 낳으면 곧 결혼과 함께 영국으로 떠날 예정이었기 때문에 결국 내가 받은 것이다.

그 장독이 후원 뒤뜰에 대강 늘어서 있었다.

식당을 폐업하고 나서도 한참 만에야 꺼내 온 것이라 아직 제대로 정리도 못했다. 거기에 이 잔디가 깔린, 멀끔한 정원의 어디쯤에 놓아야 덜 어색할지도 고민해야 했고 심지어는 궁상맞으니 그냥 버리자는 아주머니들과 때아닌 신경전도 벌였다.

"뒤뜰에다 만들고 싶은데⋯⋯."

아무래도 주인의 허락을 얻어야 할 것 같아 슬그머니 고 사장의 눈치부터 살폈다. 다행히 그가 선선히 고개를 끄덕였다.

"좋을 대로 해. 적당한 자리를 고르면 옮겨 줄게."

"네, 감사합니다. 저어, 그리고⋯⋯."

"⋯⋯?"

"저기 터, 텃밭도 만들면 안 되는지."

내가 고향이 그리워서 이러는 거 아니오.

그냥 저 팽팽 놀고 있는 땅이 너무 아까워서 그러는 것일 뿐. 시골에서는 손바닥만 한 땅만 있어도 부추에 오이에 옥수수까지 심는데 여긴 이 넓은 땅에 고작 열매 하나 안 맺는 잔디만 깔아 놓았지 않소. 그 잔디 고 사장이 다 뜯어 먹고 살 거요?

"구석에다가 조, 조그맣게 만들 건데."

"아이참, 그런 걸 뭐하러 일일이 다 물어서 해요? 언니 집인데 그냥 언니가 하고 싶은 대로 다 하세요. 저도 도와 드릴게요. 저, 사실은 텃밭 가꾸는 거 좋아하거든요. 볕 좋은 날 골라서 같이 만들어요."

"그렇게 해."

뭐라 더 말하기도 전에 단박에 허락이 떨어졌다.

"장독대든 텃밭이든 만들고 싶은 대로 만들어. 하고 싶은 대로 하라고."

"네, 네. 감사합니다."

"그리고 앞으로는 절대로 끼니 거르지 마. 내가 보는 앞에서, 나랑 같이 밥 먹어. 내가 없을 때도 반드시 찾아 먹어야 해. 사람 시켜서 일일이 확인할 거야. 알았나?"

"네에."

언젠가 그랬듯 내 수저 위에 고기를 척 얹어 주면서 그가 마치 혼잣말처럼 덧붙였다.

"이제 바쁜 일은 얼추 다 끝났으니까."

음? 그래서 어쩌라는 거요?

앞으로는 제시간에 칼같이 퇴근할 것임을 예고하면서 그가 또 진득한 시선으로 나를 보았다. 특유의 깊고 서늘한 눈동자가 몸을 스윽 훑고 내려갔다. 아무 이유 없이 심장이 뜨끔하더니 문득 옷자락을 여미고 싶은 기분이 들었다. 그래 봤자 날씨가 아직 쌀쌀해 딱히 옷 밖으로 드러난 부위도 없으면서 말이다. 그런 사실이 이상하게 민망해 나도 모르게 황급히 시선을 피하면서 밥그릇에 코를 박자 아가씨가 조그맣게 웃었다.

"아무래도 금방 좋은 소식이 오겠네요."

글쎄, 그런 일은 없을 거라니까 그러시네.

요즘 유난히 자주 집을 찾아오는 애심 씨를 떠올리며 나는 혼자 고개를 저었다. 지난번에 사고를 친 이후 이집트로 잠깐 쫓겨났다가 바로 돌아온 그녀는 비행이 없는 날이면 우리 아가씨를 본다는 핑계로 찾아와 하루 종일 놀다 간다.

마치 제집에 온 사람처럼 편하게도 놀러 와서는 때마다 나에게 '아줌마, 여기 과일 좀 내오세요.' 라고 주문도 했다. 우리 아가씨가 하지 않는 시누이 노릇을 대신해 주고 있는 셈이었는데 그 모습이 하도 당당하고 자연스러워서 이제는 그러는 게 당연하게 여겨질 정도였다.

그렇다 보니 하는 짓이 생각보다 얄밉게 보이지도 않았다.

제가 짝사랑하는 사람과 살고 있다는 이유 때문인지 그녀는 나를 볼 때마다 대놓고 퉁퉁거리고 잔소리를 하고 이것저것 일을 시키기도 했는데, 가만 보니까 감정 표현이 솔직한 것뿐 딱히 성격이 나쁜 건 아닌 것 같았다. 덕분에 어떤 때는 그녀가 귀엽게 보일 때도 있었다.

매사가 솔직한 애심 씨라면 적어도 내가 없는 자리에서 내 욕을 하지는 않을 테니까 말이다. 내가 요즘 그렇지 않은 사람들과 자선 모임을 하고 있어서 알게 된 사실이었다.

아무튼지 간에 나는 그런 그녀를 남몰래 응원하고 있었다.

다른 사람보다 고 사장에겐 솔직하고 당당한 그녀가 더 잘 어울리는 것 같아서다. 무엇보다 나를 턱 끝으로 부리는 도우미 아주머니들이 그녀에게만큼은 납작하게 엎드린다는 점이 가장 마음에 들었다.

"오늘 모임이 있는 날인가?"

보통 때보다 조금 늦은 시간에 집을 나서면서 고 사장이 물었다.

바쁜 일은 거의 다 끝났다는 말이 빈말은 아니었는지 출근 시간이라는 사실이 무색하게 그는 약간 여유를 부리고 있었다.

"네. 오라는 연락을 받기는 했어요."

"갈 건가?"

"네."

그냥 저녁 먹고 이야기하는 것 말고 딱히 더하는 게 없는 모임이긴 하지만 그래도 일단은 자선 모임이었다. 기부금도 받고 상당한 액수의 회비도 걷고 일 년에 한 번은 자선 바자회와 불우이웃돕기도 한다. 그래서 다른 건 몰라도 때마다 열심히 참석하고 있기는 한데 솔직히 말하면 가시방석보다 더 어려운 자리였다.

웬 여사님들이 그렇게 남의 이야기하는 걸 좋아하는지 멀쩡하게 시작된 대화도 절반 이상은 항상 남의 뒷담화로 이어지곤 하기 때문이었다. 비교하거나 험담하거나 과거사를 적나라하게 공개하는 일이 때마다 일상다반사로 이루어졌다. 물론, 그런 것보다 더 큰 이유는 그녀들이 나를 그리 좋아하지 않는다는 사실 때문이지만 말이다. 정확히 말하면, 놀려먹기 좋은 촌것쯤으로 여기고 있는 중이라고나 할까.

고 사장이 나가라고 하고 또 어느 정도는 필요한 모임이라고 생각해서 나가고는 있으나 나도 사람인 만큼 때때로 회의감이 몰려오는 건 어쩔 수 없었다. 뭐, 고 사장을 피해 다니기엔 딱 좋은 모임이긴 하지만.

　"언제쯤 끝나지?"

　"그, 글쎄요. 가 봐야 알 것 같은데요."

　"음, 그럼 끝나는 시간에 전화해. 데리러 갈게."

　"아, 아니에요. 안 그러셔도 돼요. 지하철 타면 금방 오는 걸요."

　"지하철이라. 아직도 재인이 안 데리고 다니는 건가?"

　"그게…… 네."

　겨울에 동서네 집에 간답시고 혼자 길을 나섰다가 나는 또 미아가 될 뻔했었다.

　시장 다닐 땐 괜찮았는데 지하철 노선이 바뀌는 순간 다시 멍청해져서는 땅속에서 길을 잃고 땅 위에서도 길을 잃는 바람에 애초의 의도와는 달리 목적지와 정반대 방향에 가 있었다. 알고 보니 내가 지하철을 거꾸로 탄 거였단다.

　아무튼 반대 방향에 가 있는 나를 마침 집에 있던 서방님께서 친히 주우러 왔었는데 그때 그가 본 건 길가에 쪼그려 앉아 울먹이고 있는, 눈사람 모양을 한 바보 한 마리였다. 그 일로 성격 나쁜 서방님은 미친 듯이 화를 냈고 동서는 울지도 웃지도 못하다가 결국 아가씨에게 사실을 털어놓았다. 그리고 아가씨는 아주 당연하게도 모든 전모를 고 사장에게 고해 바친 거다.

그럼 이야기를 들은 고 사장은 어떻게 했을까?

그는 나를 집에 가두는 대신 친절하게도 차를 사 주었다. 그리고 내가 면허증도 없다는 사실을 알기가 무섭게 기사도 붙여 주었다. 해맑은 얼굴의 소유자답지 않게 어깨가 떡 벌어진 아주 덩치가 큰 기사였다. 보디가드 겸용이란다. 나중에 안 일인데 그는 내가 제일 무서워하는 김우인 실장의 쌍둥이 동생이었다. 형제가 어쩌면 그렇게 안 닮았는지 아가씨에게서 진실을 듣기 전까지 나는 전혀 상상도 못했지 뭔가.

어쨌거나 그런 김재인 씨를 나는 벌써 몇 달째 방치 중이었다. 물론 차도 그 사람 혼자서 타고 다닌다. 나는 여전히 지하철을 타고 다니며 가끔은 반대 방향에 가 있기 일쑤고. 후우, 윤미숙이 하는 짓이라는 게 다 그렇지 뭐.

"괜히 수고스럽게 하는 것 같아서."

고개가 안으로 수그러들었다.

그러게 애초부터 차를 사 주는 것보다 그냥 집에 가두는 게 더 나았을 거라니까.

"끝나는 시간에 맞춰 데리러 갈게."

"아, 아니에요. 안 그러셔도 돼요. 저 잘 찾아올 수 있어요."

"은준이가……."

머리통이 떨어져라 고개를 젓는 나를 가만히 바라보며 그가 진지하게 말했다.

"한 번만 더 길 잃고 스스로도 어딘지 모르는 곳에서 전화하면 그냥 집에 가두라던데. 그렇게 할까?"

꿀꺽.

그 성질 나쁜 서방님이 나 모르게 그런 말도 했단 말인가. 입을 다물고 가만히 고개를 저었다. 쫓겨날 일이 무섭지만 다른 의미로 그건 더 무서웠다.

"전화해. 알았지?"

"네."

"점심도 잘 챙겨 먹고."

"네에."

오랜만에 훈훈한 대화를 하고 있다는 사실도 잊고 나는 또 한숨을 푹 내쉬었다. 그런 나를 그가 슬쩍 끌어당겼다. 상쾌하게 번지는 로션 냄새와 성숙한 남자의 향기가 동시에 다가와 코끝을 간질였다. 아, 고 사장의 냄새다.

그의 향기를 느끼고 나서야 내가 그의 가슴팍에 코를 박고 있다는 사실을 자각했다.

오랜만에 안겨 보는군요, 고 사장. 그런데 아침부터 왜 이렇게 다정하게 구시는 건가요?

오랜만이라 그런지 어째 예전보다 더 떨렸다. 아닌 게 아니라, 수전증 환자처럼 손까지 덜덜 떨리려고 들었다. 큼직한 그의 손이 조심스럽게 머리 위에 내려앉았다.

"후우, 널 어떻게 해야 할지 모르겠다."

"……."

"일이라면 그냥 밀어붙이면 그만일 텐데 그럴 수도 없고. 이런 건 역시 조금 어려워."

유감스럽지만 뭔 소린지 이해가 안 간다.

날 때려죽이고 싶다는 소리가 아닌 건 분명한데 정확히 무슨 뜻인지도 모르겠다. 그에게도 무언가 어려운 일이 있다는 뜻일까?

"저녁에 봐."

뜻 모를 소리에 놀라 멍하니 있는 나를 슬쩍 밀어내면서 그가 희미하게 웃었다. 그러다 그냥 돌아서기가 섭섭했는지 나를 한동안 가만히 보더니 문득 고개를 숙였다. 촉촉한 입술이 다가와 말라붙은 내 입술을 딱 한 번 강하게 빨고 금방 떨어져 나갔다.

쿵!

'쪽' 하는 소리 너머로 지구가 울렸다. 이것도 오랜만이라 그런지 골이 다 띵하다.

"그렇게 좋은가?"

"눈에 콩깍지가 쓰였는데 뭔들 안 좋겠어."

현장을 목격한 두 아주머니들이 뒤에서 나 들으란 듯이 쑥 덕이고 있었다. 남은 심각해 죽겠는데 재미있다는 투다. 애심 씨처럼 한바탕 난리라도 쳐 줄까 하다가 그냥 새침하게 무시해 주고 뒤뜰로 나왔다. 모임에 가기 전에 장독대 만들 자리를 봐 놓고 텃밭도 대강 모양을 잡아야 했다.

"뭘 심을까?"

이상하게 가슴이 설렌다.

또 변덕이 시작된 것인지 아무 이유 없이 아침부터 기분이 둥둥 떠오르고 있었다. 날씨도 좋고 햇볕도 따뜻하고 나는 기분이 좋았다. 그리고 아주 다행스럽게 그런 기분은 하루 종일 이어졌다. 적어도 저녁 모임에 나가기 전까지는 그랬다.

"어머, 오랜만이네, 미숙 씨."

화려한 진주 목걸이를 건 여자가 나를 향해 아는 척을 했다. 누군지 잘 기억도 못하면서 나는 대뜸 고개부터 숙였다.

"그간 안녕하셨어요?"

"나야 뭐 늘 그렇지. 아, 이쪽으로 와서 인사부터 해요."

뻣뻣하게 서 있는 내 손을 잡고 그녀가 넓은 연회장으로 이끌었다. 아줌마들 사교 모임 주제에 웬 고급 레스토랑의 연회장이냐며 혀를 끌끌 찬다고 해도 하는 수 없지만 어쨌거나 이 동네에서는 다들 이랬다.

"자자, 여기 누가 왔는지 봐요."

"어, 저건……."

"누군데?"

"왜 있잖아. 그 고 사장네."

"아아!"

알 듯 모를 듯 미묘하게 짧은 대화와 시선이 후루룩 모여 들었다 흩어졌다. 서른 쌍도 넘는 시선이 한꺼번에 다가왔다가 금방 무심하게 돌아서는 광경은 진정 압권이었다. 덕분에 입구에 덜렁 남겨진 채 나는 혼자서 민망함을 삼켜야 했다. 집 안에서와 마찬가지로 나는 이곳에서도 형편없는 입지를 자랑하고 있는 중이었으니까 말이다.

"이쪽으로 와, 미숙 씨."

맨 처음 나를 안내해 온 여자가 한쪽 테이블에서 손을 흔들었다.

보니까 그녀를 포함해 대여섯 명의 여자가 둥그런 테이블을 하나 차지하고 빙 둘러앉아 있었다.

"자자, 여기. 연령이 다양하다 보니까 젊은 사람들은 이렇게 따로 모여 앉거든."

"네에."

그러니까 이 여자가 이 사치스러운 모임의 총무였었지? 아니, 서기였나? 아무튼 그런 비슷한 직함을 달고 있는 사람인데 나이는 나보다 대여섯 살쯤 많아 보였다. 그녀가 가리키는 자리에 조심스럽게 주저앉아 나는 곁에 앉은 사람들을 둘러보았다.

젊은 사람들이라고 하더니 틀린 말은 아니었는지 다른 곳과 달리 대부분이 2, 30대처럼 보였다. 그녀들과 간단하게 수인사를 나눈 다음 나는 누군가가 가져다준, 이름도 모르는 요리를 받아먹었다. 대강 썰어 놓은 소고기 몇 덩이였다.

"그런데 그쪽은 요즘 어떻게 지내요?"

단정하게 머리를 틀어 올린 내 또래의 여자가 곁에서 물었다.

"고 사장님이랑은 여전히 잘 지내고 있죠?"

"네, 네에. 덕분에."

"그런데 아까 저쪽에서 들었는데 고 사장님 선봤다는 소리는 또 뭐예요?"

"어, 그 소리 나도 들었어. 무슨 얘기예요?"

아무것도 아닙니다.

돌발 질문에 간신히 목구멍을 넘어가던 고기가 중간에서 딱 걸렸다. 고개가 저절로 저만치 떨어진 홀 한복판의 테이블로 향했다. 그러니까 예전에 내가 이 모임의 회장님께 카드를 받아 뭣도 모르고 고 사장에게 전한 일이 있었다.

나는 그냥 어느 파티의 초대장이거나 안내장쯤으로 생각했는데 알고 보니 거기에 약속 장소와 시간이 적혀 있었단다. 그리고 고 사장이 다 알아서 할 거라던 그녀의 말처럼 카드를 받은 그는 상황도 모르고 그 자리에 나간 거다. 그 이후의 일이야 뭐, 고 사장이 곧 이혼하고 새장가를 갈 거라는 소문으로 귀결될 뻔했지만 할머님이 돌아가시는 바람에 흐지부지되고 말았다.

그렇게 사라졌던 이야기가 지금 다시 나오고 있었다.

하지만 그렇게 물어봤자 나도 문제의 그 자리에 없었던 관계로 딱히 더해 줄 말이 없었다. 당사자인 회장님, 그러니까 홍 여사님은 계속 입을 다문 채 이후 나를 꾸준히 무시하고 있었고 고 사장은 고 사장대로 아무 말이 없었으니까 모르는 게 당연했다. 그리하여 나도 쓴웃음으로 대답을 대신해 줄 수밖에 없었다.

아무리 사실이라고 해도 나도 얼굴이 있는데 같이 살고 있는 남자를 선 자리에 내보낸 멍청한 여자라는 소문까지 만들 수는 없지 않은가 말이다.

"아, 참. 그쪽 시누이는 언제 결혼한대요? 벌써 애 가졌다고 소문났던데."

"남자가 한국 사람이 아니라면서요?"

"결혼을 하는 건 맞아요?"

다행히 이야기의 주제가 방향을 바꾸었다.

여전히 우리 집에 대한 이야기이긴 했지만 그것만으로도 조금 숨통이 트였다. 그리고 다시 회의감이 몰려왔다. 나는 대체 여기에서 뭘 하고 있는 것인가.

"좋은 시간 보냈나?"

약속대로 마중을 나온 고 사장이 성큼 다가서면서 물었다.

왕소금에 절여진 배추처럼 기진맥진한 내 몰골을 보고도 지금 그런 소리가 나오시오?

세 시간 내내 묻고 또 물어오는 질문들 때문에 진땀을 빼느라 내가 눈을 뜬 채 사경을 다 넘나들었다. 갑자기 궁금한 게 왜 그리들 많아진 건지 한시도 마음 편히 앉아 있을 수가 없었다. 우리 아가씨가 사막에서 주워 온 남자가 어마어마한 자산가라는 소문이 돌고 있다더니 아무래도 그것 때문에 그러는 건가 보다.

아, 그러고 보니 갑자기 사람들이 다가온 것도 처음이었다.

전엔 그냥 구석에 혼자 앉아 남들이 하는 얘기만 듣다가 돌아왔는데 말이다. 이것도 역시 우리 아가씨 덕분인가?

"오래 기다리셨어요?"

대답 대신 그의 안색을 살피면서 물었다.

"피곤하실 텐데 그냥 집에 계시지 않고요. 집에 잘 찾아갈 수 있는데."

"괜찮아, 이 정도는. 그리 늦은 시간도 아니니까."

"그래도요."

제가 어색해서 그럽니다, 고 사장.

사람이 안 하던 짓을 하면 죽을 때가 된 거라는데 혹시 그런 게 아닐까 싶어서요. 그게 아니면 마침내 저를 죽일 작정을 했을까 봐 살짝 겁도 나고요.

원래도 그리 쌀쌀맞은 편은 아니었지만 그렇다고 해서 아주 다정한 편도 아니었던 고 사장이다. 바빠서, 혹은 다른 이유들로 인해 자세히 얼굴 볼 새도 없었거니와 어쩌다 함께 있어도 내 생활에 대해 묻거나 일부러 더 자상하게 대해 주는 일도 없었다. 그럴 만도 한 것이, 겨울엔 할머님의 초상을 치르느라 정신이 없었고 그 직후부터 최근까지는 아가씨의 결혼 문제와 임신 때문에 집안이 온통 난리법석이었으니까.

아무튼, 그랬던 사람이 요즘은 지나치게 친절하게 굴고 있었다.

길을 잃고 헤맨다고 차를 사 주고 기사를 붙여 주고 장독대에 텃밭도 만들게 해 주고 또 밥도 꼬박꼬박 챙겨 먹으라며 때마다 전화도 해 준다. 거기에 더해 이제는 이렇게 직접 데리러 나오기도 했다. 왜 이러는 걸까? 남들은 알지 못하는 무슨 심경의 변화라도 있었던 것일까?

"갈까?"

자연스럽게 허리를 감싸는 그의 손길을 느끼며 나는 잠시 갈등했다. 이대로 모르는 척 그의 친절을 받을 것인가 아니면 원래대로 대해 달라고 간청을 할 것인가.

그때였다.

"아니, 이게 누구야? 고 사장님 아니세요?"

높고 간질거리는 목소리가 뒤통수를 후려쳤다.

서너 명의 일행과 함께 막 레스토랑을 나서던 홍 여사님이 우리를 발견하고 다가오고 있었다. 홍 여사, 그녀가 누구인가. 우리 모임의 회장님이시자 나에게 카드를 건네고 사장으로 하여금 뜬금없이 선을 보게 만든 문제의 장본인이 아니신가.

　"오랜만이에요, 고 사장. 우리 '그때' 보고 처음이지요?"

　"네, 홍 여사님. 안녕하십니까?"

　"나야 물론 안녕합니다. 그쪽도 여전히 안녕한가요?"

　"보시다시피."

　응? 이건 또 무슨 상황이지?

　나를 말끔하게 무시한 채 두 사람 사이에서만 팽팽한 긴장감이 조성되었다. 약속이나 한 듯 그도, 홍 여사님도 빙긋 웃는 얼굴이었는데 그런 것치고는 분위기가 왠지 살벌했다. 어느 쪽이든 빈틈을 보이는 즉시 한 대 칠 기세였다. 그 사이에서 나는 숨도 제대로 못 쉬고 뻣뻣하게 굳어 있었다.

　"아직도 마음을 바꿀 생각은 없는 거고요?"

　"더 말해야 합니까?"

　"재능 있는 젊은 사람이 좋은 기회를 놓치는 게 너무 안타까워서 그러죠."

　"괜찮습니다. 말씀드렸다시피, 이미 더 좋은 기회를 잡았으니까 말입니다."

　그 말과 함께 내 허리에 두르고 있던 그의 손에 불끈 힘이 들어가는 것이 느껴졌다. 반사적으로 나는 고개를 들고 그의 표정을 살폈다. 아니다 다를까, 예의 성질 나쁜 미소가 어느새 그의 입가를 점령하고 있었다. 등줄기를 타고 소름이 올라왔다. 무슨 일인지는 모르겠으나 고 사장은 지금 나쁜 생각을 하고 있는 게 틀림없었다. 나를 품에 거의 안다시피 한채 그가 다시 말했다.

"그리고 또한 이미 말씀드렸다시피, 저는 받은 건 반드시 돌려주는 사람입니다. 기대하셔도 좋을 겁니다."

"경고하는 건가요?"

"아닙니다. 경고는 그때 했고, 이건 예고죠. 곧 일어날 일들에 대한. 다시 뵐 일이 있을 겁니다. 그럼 이만."

대체 무슨 말들을 하고 있는 건지 이해가 안 되지만 한 가지만은 분명했다. 고 사장이 단단히 틀어졌다는 것. 그 사실 하나만으로도 나는 갑자기 홍 여사가 불쌍하게 느껴지기 시작했다. 이 사람이 정말로 화가 나면 얼마나 무섭게 변하는지 그녀는 아직 모를 게 아닌가 말이다.

나는 이제까지 그가 정말로 화를 내는 모습을 딱 한 번 보았다.

지난겨울, 아가씨가 사막으로 떠났다 돌아온 직후 그는 서방님을 엎어 놓고 엉덩이가 터져 나가도록 때린 적이 있었다. 동생을 제대로 보살피지 못했다는 이유에서였다. 얼마나 냉정하고 잔인하게 굴었는지 나는 펑펑 울다 거의 기절을 할 뻔했었다. 그마저도 전에 비하면 많이 봐준 거라고 해서 더 그랬다.

거실 가득 벌건 피가 확 튀던 당시의 일이 생생하게 눈앞을 스쳐 갔다.

고 사장은 아무래도 그때보다 더 단단히 화가 난 게 틀림없어 보였다. 대체 홍 여사와 무슨 일이 있었기에 그는 이렇게까지 화를 내고 있는 것일까.

'설마 나 때문에 화가 난 건 아니겠지? 나는 그냥 카드를 전해 준 것뿐이니까.'

운전대를 잡고 있는 고 사장의 옆얼굴을 훔쳐보며 나는 또 남몰래 떨었다. 설마가 사람을 잡는다고 혹시 나도 그에게 엉덩이를 맞게 될까 봐 무서웠다. 지금도 충분히 미운털 같은 존재인데 엉덩이 맞고 아예 본격적으로 미움을 받게 된다면 안 그래도 왕따 신세인 윤미숙 인생이 대체 뭐가 될 거란 말이냐.

그래서 하는 말인데 고 사장, 제발 우리 그냥 말로 합시다.

"피곤한가?"

교차로에서 잠시 신호를 기다리며 그가 물었다.

"아, 아니요. 괜찮아요."

"그럼 은준이 집에 잠깐 들렀다 가지."

"서방님 댁에요?"

"음. 첫 조카라 그런가? 조그만 녀석이 자꾸 눈에 밟혀서."

그 말에 나는 자연스럽게 동서가 낳은 아기를 떠올렸다.

누구 아들인지 물어볼 필요도 없게 딱 서방님을 빼닮은 아기는 벌써부터 이목구비가 또렷한 것이 어디에 내놔도 '잘생겼다.'는 소리를 듣고 있었다. 막눈인 내가 봐도 서방님의 뒤를 이어 미래의 훈남으로 자라날 게 분명해 보였다. 그런데 하필이면 애가 성격 나빠 보이는 그의 눈매까지 빼닮은 거다.

그 부분에 대해 고 사장은 집안 내력이라고 했고 아가씨는 그래도 바보는 아닐 테니 다행이라고 했으며 아기를 키우고 있는 당사자인 동서는 '생긴 건 용서할 테니 제발 성격은 아빠 닮지 말아다오.'라고 기도를 하고 있었다.

"어머, 오셨어요?"

고 사장이 사 놓은 선물 보따리를 바리바리 들고 들어가자 동서가 좋다고 웃었다.

춤을 추는 사람답게 벌써 완벽한 몸매를 회복한 그녀는 조금 늦은 저녁임에도 불구하고 무언가를 먹고 있었는지 손에 젓가락을 들고 있었다.

"헤헤, 모유를 먹이고 있어서 그런지 요즘은 하루 종일 배가 고픈 것 같아서요. 저 순대 먹고 있는데 형님도 같이 드실래요?"

"아, 아니에요. 방금 저녁 먹고 오는 길인 걸요. 많이 드세요. 그리고 혹시 더 드시고 싶은 거 있으면 말씀하세요. 제가 만들어 드릴게요."

"에이, 안 그러셔도 되는데. ……사실은, 지난번에 형님이 해 주신 그 궁중떡볶이가 먹고 싶어 죽겠어요. 여기서는 아무리 해도 그 맛이 안 나서 저 계속 형님 댁에 가고 싶었거든요. 그거 못 먹으니까 애 낳으러 가기도 귀찮더라고요."

"세상에! 진즉에 말하지 그랬어요. 금방 해 드릴게요."

우리 동서가 이렇게 밝고 솔직한 사람이다.

재벌 딸답지 않게 소탈하고 먹는 걸 좋아해서 아기를 낳기 전에도 때만 되면 쪼르르 달려와 내가 한 밥을 먹고 가곤 했었다. 물론, 그때마다 서방님도 옵션으로 달고 왔다. 그러면 나는 또 무서워 달달 떨면서 음식을 해다 바친 다음 고 사장의 등 뒤로 숨거나 주방에서 혼자 맴을 돌기 일쑤였다. 지금이야 그런대로 적응이 되었는지 어지간한 상황만 아니면 잘 버티기는 하지만 말이다.

뛰어다녀도 될 정도로 넓은 주방을 독차지하고 나는 잠시 뚝딱거렸다. 산후 조리하는 사람이 있다 보니 냉장고 가득 온갖 음식이며 재료가 꽉꽉 들어차 있었다. 그릇도 화려하다. 고 사장의 동생 집답게 접시 하나 숟가락 하나도 고급이라 대강 담아 놓아도 평범한 떡볶이가 무슨 고급 음식이나 되는 듯 여겨졌다.

금방 만들어 낸 떡볶이를 쟁반에 받쳐 들고 종종걸음으로 거실로 나섰다. 그러다 우연히 그 모습을 보게 된 것이다. 느린 걸음으로 고 사장이 어둠이 내린 넓은 창가를 걷고 있었다. 한 마리 표범처럼 부드럽고 힘 있는 걸음이었지만 동시에 지극히 조심스러운 움직임이 물 흐르듯 고요히 이어진다. 그가 품에 아기를 안고 있었다.

그 모습에 나는 조금 충격을 받았다.

고 사장이 워낙 찬 인상인데다 아직 한 번도 생각을 해 본 적이 없어서 그런지 그가 아기를 돌보는 모습이 상당히 낯설었다. 아니 솔직히 말하면, 의외로 잘 어울렸다. 너무 잘 어울려서 아무 이유 없이 속에서 무언가가 울컥 올라오는 기분이었다.

아아, 고 사장도 아빠가 될 수 있는 사람이었구나. 언젠가는 아빠가 되어야 하는 사람이구나. 그렇게 되고 싶은 사람이구나.

섬뜩한 깨달음이 가슴을 훑고 지나갔다.

입가에 환한 미소를 매단 채 아기를 안고 천천히 걷고 있는 그가 너무 아름다워서 눈물이 날 것 같았다. 할 수만 있다면 내가 그의 아기를 낳아 주고 싶다는 부질없는 욕심이 공기 방울처럼 부글부글 끓어올랐다. 나 왜 이러지?

'미쳤어! 아무래도 내가 미쳤나 봐. 이런 가당치도 않은 생각을 하는 걸 보면.'

이런 욕심을 품는 내가 이상하다.

정상이 아니었다. 주변에서 잘해 주니까 이 자리가 정말

내 자리라는 착각에 빠지기라도 한 게 틀림없었다. 드디어 간이 부었나, 윤미숙? 눈가가 뜨겁게 달아오르는 느낌에 아파하며 나는 야무지게 입술을 깨물었다.

"떡볶이 왔어요."

"어머, 벌써 다 되었어요?"

"간단한 거니까요. 얼른 오세요."

아기한테만 정신이 팔려 있던 사람들이 그제야 우르르 모여들었다.

제일 먼저 동서가 젓가락을 들고 그다음엔 배부른 수달처럼 소파 위에 늘어져 있던 서방님이 다가앉았다.

"어? 은준 씨도 먹으려고요?"

"음. 저녁이 모자랐나 봐."

"에이, 거짓말. 형님이 한 거니까 그냥 먹고 싶은 거면서. 내 말이 맞죠?"

"……누가 아니래?"

퉁명스럽긴 하지만 그래도 화끈하게 사실을 인정하며 그가 나를 흘끔 보았다. 그러더니 또 뭐가 못마땅한 건지 미간을 팍 찌푸리는 거다.

"요즘 형이 집에 돈 안 가져다줍니까?"

"네?"

"굶고 사는 사람처럼 꼴이 왜 그러냐고 묻는 겁니다."

"아! 그게 환절기라……."

"그래서 말인데요, 형님."

슬그머니 말끝을 흐리자 열심히 젓가락을 놀리던 동서가 기다렸다는 듯 고개를 발딱 들었다. 그러곤 한쪽 구석에서 웬 큼직한 박스를 하나 끌어내더니 내 앞으로 내밀면서 말했다.

"저기, 이거요."

"이게 뭔데요?"

"형님 거예요. 저, 임신했을 때부터 신경 써 주신 게 너무 감사해서 이번에 제 약 지으면서 같이 지어 왔어요. 보약이에요."

"보, 보약이요? 저 이런 거 안 먹어도 되는데요."

"아이, 그냥 드세요. 사실은, 저 때문에 이렇게 마르신 거 같아서 제가 마음이 너무 안 좋아요. 형님도 이제 아기 가지실 때 되었는데 자꾸 마르기만 하면 안 되잖아요. 아가씨도, 아주버님도 걱정이 많으신 걸요."

그러니까 그게 아니라니까요.

때는 되었으되 '아기 가질 일'이 없는데 걱정은 웬 걱정이시오. 또한 이렇게 말라도 일하는 데는 지장이 없거니와 내 평생 보약이라는 거 본 적도 없이 살았지만 그래도 이때까지 건강하게 잘만 지내고 있소. 내가 바로 용가리 통뼈요.

조금은 당혹스럽고 부담스러운 한편 생각해 주는 마음이 고마워서 가슴이 뭉클했다. 하지만 단지 그뿐. 준다고 넙죽 받아 넣을 만큼 나는 얼굴이 두껍지 못했다. 고 사장의 아기를 낳아 줄 사람이 내가 아니라서 더 그랬다. 그리하여 어찌해야 하느냐고 묻듯 고 사장을 돌아본 것이다.

"살이 좀 더 붙긴 해야지."

으응? 받아먹으란 말이오?

"모자라면 그것 먹고 더 먹자. 적당히 체력이 붙을 때까지 운동도 하고. 이 녀석 조그마해서 가벼울 줄 알았더니 제법 묵직한걸."

애가 묵직한 거랑 내가 보약 먹고 운동을 하는 거랑 무슨 상관이 있는 것일까.

오늘 하루 종일 그랬듯 이번에도 훈훈한(?) 시선을 보내는 고 사장을 보다 어쩐지 민망해져서 나는 슬그머니 고개를 돌리고 말았다. 혼란이 찾아왔다. 고 사장은 내게 뭘 원하고 있는 것인가. 언제까지 이 일을 계속해야 하는가. 이제까지 그가 바라는 대로, 하라는 대로 열심히 해 왔지만 할머님도 돌아가신 마당에 왜 아직도 나를 그냥 두는지 모르겠다.

혹시 결혼한 지 1년도 안 된 시점에서 이혼을 한다는 게 대외적으로 그리 보기 좋지 않을 거라는 생각을 하고 있다면 이해할 수 있다. 이 동네는 원래 남의 이야기를 많이 하는 만큼 남의 시선에 대해서도 신경을 많이 쓰는 곳인 것 같으니까 말이다. 그렇다면 적어도 1년은 채울 생각일까? 그게 아니라면 나는 또 어떻게 되는 것일까.

할머님이 좀 더 오래 사셨어야 했다. 내가 이곳에 온 지 달 랑 두 달 만에 돌아가실 줄을 누가 알았나. 알았다면 고 사장이 선보고 가짜 결혼을 계획하는 극단의 선택도 하지 않았을 것이었다. 그리고 나 또한 이렇게 오도 가도 못하는 처지가되지 않았을 것이다. 아니, 아니다. 맨 처음, 윤미숙이 고 사장의 제안을 받아들이지 않았다면 되었을 일이었다.

온갖 상념과 후회가 꼬리에 꼬리를 물고 이어졌다.

고뇌의 강도가 너무 커서 이젠 머리까지 아파 왔다. 모임에서 억지로 받아먹은 고기가 다시 원래대로 조립되어 식도를 타고 올라오는 듯 역한 느낌도 들었다.

"괜찮아?"

비틀거리며 차에서 내리자 고 사장이 황급히 부축하면서물었다.

"얼굴이 창백해."

"괘, 괜찮아요. 조금 피곤해서 그런가 봐요."

"후우, 이럴 줄 알았다면 그냥 오는 건데 그랬군."

"아니에요. 좋은 시간이었는걸요. 걱정하지 마세요. 저 정말 괜찮아요."

애써 밝게 웃으며 부드럽게 감싸 오는 그의 품 안에서 벗어났다.

이상한 일이었다. 지끈거리는 머리보다, 울렁거리는 속보다 다정하게 잡아 오는 그의 손길이 더 아프다. 눈빛 하나, 손끝 하나까지도 다정하지 않은 구석이 없는데 그가 친절하게 굴면 굴수록 나는 자꾸 울고만 싶어졌다.

"열은 없는데."

큰 손으로 내 이마를 짚어 보더니 그가 근심스럽게 중얼거렸다.

"지금이라도 병원으로 가 보는 게 어떨까?"

"아니요. 조금 쉬면 금방 괜찮아지는데 뭐하러 그래요. 피곤하실 텐데 얼른 들어가세요."

"……."

"저도 쉬고 싶어서 그래요."

당장이라도 병원으로 끌고 갈 것처럼 구는 그를 조심스러운 동작으로 뿌리치고 나는 먼저 집 안으로 들어왔다. 그런 나를 고 사장이 방문 앞에서 잡아챘다.

"왜, 왜요?"

"……곁에서 자."

"네?"

"걱정되어서 그래. 밤에 아플 수도 있으니까."

"저 정말 괘, 괜찮은데요."

나 갑자기 멀쩡해졌소이다.

굳이 곁에서 안 자도 밤새 멀쩡할 자신이 있소. 그러니 제발 당신 옆에서 자라고 하지 말아 주시오, 고 사장. 내가 보거나 말거나 당신은 또 홀딱 벗고 잘 거잖소.

첫날밤 이후 나는 아직 단 한 번도 그의 방에서 잠든 적이 없었다. 나의 인내심이라는 것은 여전히 새털보다 가볍기 이를 데 없어서 자다가도 언제 변태로 돌변해 고 사장을 덮칠지 모르기 때문이었다. 그런 내게 또 같이 자잔다. 이 일을 어찌해야 하나.

편히 쉬고 싶은데 그와 같이 누우면 그건 쉬는 게 아니게 될지도 몰랐다. 보나마나 긴장으로 온몸이 뻣뻣하게 굳어서 밤새 꼼짝도 못하다가 아침이 되면 그때부터는 근육통으로 고생을 하게 될 텐데 미치지 않은 이상 누구 좋으라고 그런 고행을 자처할까. 절대 사양이다.

"혹시 아프면 지체하지 말고 날 깨워."

가볍고 푹신한 이불을 꽁꽁 덮어 주면서 고 사장이 말했다.

그래, 나 윤미숙 정말 지조라고는 약에 쓸래도 없는 인간이다. 고 사장이 손목을 잡고 은근히 끌어당긴다고 한 방에 흑 넘어가서는 못 이긴 척 그의 옆에 눕고 말았다. 변명이지만 그럴 수밖에 없었다. 나를 바라보는 고 사장의 눈빛이 오늘따라 어쩐지 너무 간절해 보이는 바람에.

아니다. 간절함과는 느낌이 살짝 다르다.

절실함보다 더 컸던, 어떤 흔들림이 짧은 순간 그의 눈동자를 스쳐 갔었다. 우연처럼 내 시선을 피해 가던 그 작은 흔들림을 언젠가도 본 적이 있는 것만 같았다. 언제나 똑바로 시선을 마주쳐 오는 사람이 가끔, 아주 가끔 흔들림을 내보이고 그걸 들키고 싶지 않아 시선을 피하는 일이 있었다. 그 흔들림의 이유가 무엇인지 나는 오늘 처음으로 궁금해졌다.

아기를 안고 있던 그의 모습이 환영처럼 다시 눈앞을 스쳐 갔다.

그렇게 따뜻하고 편하게 풀어져 있는 고 사장의 얼굴을 나는 처음 보았다. 언제나 무표정하던 사람이 눈가에, 입가에 미소를 잔뜩 매달고 진짜 아빠나 된 것처럼 애정을 풀풀 뿜어내던 모습이라니. 가장 가까운 가족인 서방님이나 아가씨와 있을 때도 보이지 않았던 그 표정 앞에서 나는 조금 좌절했다.

그런 장면을 아직 단 한 번도 상상해 본 적이 없었기 때문에 거의 충격마저 느꼈었다.

그에겐 진짜 가족이 필요했다. 그가 진짜 가족을 원한다는 사실을 확인하고 짧은 순간 나는 한없이 외로워졌었다. 떠나야 할 때가 점점 더 가까이 다가오고 있는 느낌이었다. 이젠 할머님도 안 계시니 그는 얼마든지 뜻대로 움직일 수 있을 터였다. 어쩌면 그는 곧 내게 떠나라는 말을 할지도 몰랐다. 가끔, 아주 가끔 나를 볼 때마다 흔들리는 그 시선의 정체는 그런 것일지도 모른다.

상처를 줄 수밖에 없는 어떤 상황에 대한 미안함 같은 것.

차렷 자세로 반듯하게 누운 채 나는 고개만 돌려 곁에 누운 고 사장을 바라보았다. 어둠 속에서도 뚜렷한 얼굴의 윤곽이 희미하게 반짝이고 있었다. 편안하게 감긴 눈과 굳게 다물린 입술 선을 눈으로 훑다 나는 남몰래 한숨을 삼켰다. 또 홀딱 벗고 잘 줄 알았는데 의외로 잠옷까지 잘 챙겨 입고 그가 내 곁에서 잠들었다.

이상하게 눈물이 날 것만 같았다.

설레고 두근거려야 하는데 난데없이 가슴이 아파 왔다. 저녁 먹은 게 잘못되어서 그런 건지, 아니면 요즘 들어 자주 그렇듯 자꾸만 오락가락하는 기분 탓인지 구분이 가지 않았다. 한 가지 확실한 건, 이 와중에도 바보 윤미숙은 그가 원하는 대로 해 주고 싶다는 생각을 하고 있다는 사실이었다.

'행복했으면 좋겠어요. 계속 그런 얼굴이었으면 좋겠어요. 그렇게 해 줄 수 있는 사람이 당신 곁에 있었으면 좋겠어요. 왜냐면……'

왜냐면 당신은 생각했던 것보다 훨씬 더 다정한 사람이니까요.

그가 아기를 안고 있는 모습을 통해 나는 나의 거룩한 예감이 사실로 증명되었다는 사실을 마침내 깨닫고야 말았다. 생각보다 훨씬 더 따뜻하고 다정한 사람이다, 고 사장은. 다른 사람은 몰라도 이제 나는 안다. 알게 되었다.

아파 보인다는 이유로 나를 곁에서 잠들게 하는 그의 드넓은 오지랖에 나는 말없는 찬사를 보냈다. 여전히 조금 무섭 긴 하지만 그보다는 더 많이 다정한 사람. 다정하고 따뜻해 서 때때로 울고 싶게 만드는 사람. 나에게 그는 그런 사람이 었다. 그러니까 지금 당장 쫓겨나게 된다고 해도 나는 괜찮 을 수 있다. 그럴 수 있을 것 같았다.

'괜찮다. 나는 괜찮다. 윤미숙은 천하무적이다.'

울고 싶은 기분에 시달리며 나는 질끈 눈을 감았다.

돌아올 때만 해도 눕기만 하면 금방 잠들 것 같았는데 끝 없이 떠오르는 상념들 때문에 밤이 더 깊어질 때까지도 나는 쉬이 잠들지 못했다.

완전히 깨지도, 완전히 잠들지도 못하는 상태가 지루하도 록 길게 이어졌다. 그러다 문득 온몸을 감싸 오는 따스한 온 기를 느끼고서야 나는 비로소 스르르 잠이 들었다. 조금 피 곤하긴 했는지 아니면 고 사장의 옆이라서 그랬는지 자는 내 내 나는 아무 이유 없이 몸이 후끈해지는 조금 야한 꿈을 꾸 었다.

"으음."

꿈뻑꿈뻑.

얼마나 잤을까. 누가 업어 가도 모르게 곤히 자다가 반짝 눈을 떴을 땐 벌써 방 안이 환했다. 뻑뻑한 눈을 비비며 옆을 돌아보았다. 벌써 일어났는지 고 사장이 보이지 않았다. 으응? 벌써 일어났다고?

"헉! 어, 어떻게 해. 아침!"

정신이 번쩍 들었다.

내내 긴장하고 살다가 어쩐 일로 정신을 놓아서 고 사장이 일어나는 것도 모르고 계속 푹 자고 있었단 말인가. 아찔한 기분에 시간을 확인할 겨를도 없이 일어나 후다닥 뛰쳐나갔다. 고 사장이랑 아가씨는 내가 해 주는 밥을 좋아해서 어지간한 밥상은 거들떠보지도 않았다.

우리 집 도우미 아주머니들이 식사 시간마다 한가해지는 이유도 바로 거기에 있었다. 이제껏 잘 먹고 살아왔으면서 새삼 입에 맞지 않다며 종종 그냥 물리는 바람에 지금껏 내가 밥을 해다 바치고 있는 중이었다. 더구나 말했다시피 아가씨는 입덧 중이라 더 예민한 상태였고.

"새댁, 일어났어?"

"일찍도 일어났다."

주방에서 차를 마시던 아주머니들이 나를 보고 피식 웃었다. 고 사장이랑 아가씨는 보이지 않았다. 마음이 더 급해져서 나는 거의 따지다시피 물었다.

"아, 아침 식사 어떻게 되었어요? 그 사람은요? 아가씨는요?"

"벌써 드시고 나가셨지. 사장님은 두 시간 전에, 아가씨는 이사 갈 집 때문에 방금."

"아이고, 울겄네. 그럴 것 없어. 피곤해한다고 사장님께서 깨우지 말라고 하셔서 안 깨운 거야. 더 자게 두다가 일어나면 약 챙겨 먹이라고 신신당부를 하고 가셨지 아마?"

아니, 지금 그렇게 한가한 소리를 할 때랍니까?

나는 급해 죽겠는데 두 사람은 지나치게 한가해 보여서 열이 다 났다.

"아가씨 괜찮으셨어요? 입덧 안 하시고요? 그 사람은요?"

"새댁, 우리를 너무 하찮게 보는 거 아냐?"

"평소 때보다 좀 적게 드시긴 했지만 잘 드시고 나가셨으니까 아무 걱정 마. 근데 이건 궁금해서 묻는 건데……."

완전히 안심을 하기도 전에 두 아주머니들이 잠시 시선을 교환하더니 조금 의미심장하게 물었다.

"새댁, 이제 안방에서 자는 거야?"

"예? 그, 그게……."

계속 주방 옆 쪽방에서 잘 예정입니다마는?

"요즘 사장님이랑 좋아 죽는 것 같던데 화해한 거 맞지?"

"아이, 비싼 보약까지 지어다 먹이는 거 보면 몰라? 내 말이 맞아. 아침부터 물고 빨고 하는 거 보고 딱 감을 잡았다니까. 다른 건 몰라도 새댁이 예쁘긴 하잖아."

이건 또 무슨 상황일까.

정신이 다시 몽롱해지려고 했다. 자고 일어났더니 나는 갑자기 고 사장이랑 싸우고 화해해 이제야말로 제대로 안방에 입성한 사람이 되어 있었다. 이야기가 어째서 이렇게 되는 것이지?

대답도 못하고 나는 혼자 돌이 되었다.

모르고 있는 줄 알았는데 아주머니들은 내가 주방 옆의 작은 방에서 혼자 지내고 있는 걸 벌써 다 알고 있었다. 나름대로 조심한다고 했는데 도대체 그걸 어떻게 알았을까. 혹시 아가씨도 그 사실을 눈치챘을까?

"그래, 이제라도 그렇게 잘 지내야지. 미운 정도 정이라잖아. 아무리 마음에 없는 결혼을 했다지만 그래도 새댁이 애교도 좀 부리고 그러면 사장님도 서운하게 하시지는 않겠지."

"그럼 그럼. 할머님이 중신했는데 설마 영영 찬밥 신세로 내버려 두기야 하겠어?"

"그렇지. 새댁이야 돈 보고 결혼했겠지만 사장님은 할머님을 위해서 희생을 한 거야. 그러니까 말이라도 다정하게 하고 좀 고분고분하게 굴어 봐. 혹시 알아? 잘하면 나중에 위자료라도 넉넉히 떼어 줄지?"

남의 속도 모르고 두 아주머니들이 시시덕거렸다.

"솔직히 이제야 하는 말이지만 우리도 그동안 좀 힘들었어. 여기저기에서 오죽 말이 많았어야지."

"새댁이 촌스럽다는 둥, 곧 이혼할 거라는 둥, 사장님이 다시 선을 봤다는 둥. 하여간에 별말이 다 돌았다니까. 뭐, 돌아가는 꼴을 보니 그리 틀린 말도 아닌 것 같아서 우리도 진짜 그렇게 되는 줄 알았지만."

"아무튼 간에 아직 기회는 있는 것 같으니까 좀 잘해 봐. 보니까 사장님도 몸이 달았던데 잘해서 애라도 하나 떡하니 낳아 놓으면 감히 누가 새댁을 건드리겠어. 안 그래?"

"그렇지. 우리 사장님만 해도 엄청난데 시동생이 재벌집 사위에 시누이까지 억만장자한테 시집을 보내 놓으면 세상에 무서울 게 뭐가 있을까. 한마디로 봉 잡은 거지."

이건 충고인가 비웃음인가.

멍하니 서서 두 사람의 말을 들으며 나는 생각했다. 줄 사람은 생각도 안 하는데 김칫국부터 마신다는 소리는 바로 이럴 때 하는 소리구나 하고. 입이 썼다. 노골적인 험담보다 이런 비아냥거림이 나를 더 움츠러들게 한다는 사실을 그녀들도 잘 알고 있는 것처럼 보였다. 하긴, 모르면 애초에 이런 소리를 하지도 않겠지.

"몸이 달긴 누가 달았다고."

혼잣말로 중얼거리면서 어슬렁어슬렁 거실로 걸어 나왔다.

아침부터 한바탕 호들갑을 떨어서 그런지 벌써 기운이 쏙 빠졌다. 축 늘어져서 나는 한동안 정원이 내다보이는 거실 유리창 앞에 앉아 있었다. 그러다 점심때가 되어서야 간신히 일어나 모처럼 외출을 했다. 약속이 있었다.

"미숙아, 여기!"

여전히 화려하게 차려입은 영은이가 나를 발견하고 손을 흔들었다.

붐비는 시간임에도 불구하고 미리 예약을 했는지 전망이 가장 좋은 창가에 자리를 잡고 있었다. 종종걸음으로 다가가 그녀와 마주 앉았다. 지하철을 잘못 타는 바람에 이번에도 조금 늦어서 죽어라 뛰었더니 아직도 숨이 가빴다.

"후우, 봄이라더니 벌써 덥다."

뛰어왔다는 사실을 감추듯 애써 에두르자 영은이는 그냥 피식 웃었다.

"볕이 따뜻하긴 하더라. 밥부터 먹자."

"그럴까? 아, 그렇지. 오늘은 내가 살게."

"됐어. 네가 무슨 돈이 있다고 밥을 사니? 여기 보기보다 비싼 곳이다, 너?"

"그, 그래?"

"그렇다니까. 런치 타임이라 그렇지 저녁이면 어지간한 월 급쟁이들은 못 들어와."

"그럼 너도 부담스러울 텐데 다른 데로 가자."

"미쳤니? 촌스럽게 굴지 말고 그냥 앉아. 나한테 이 정도 는 아무것도 아니니까."

태연하게 메뉴판을 펼치면서 그녀가 어깨를 으쓱했다.

그 모습에 새삼스러운 깨달음이 뒤통수를 치고 지나갔다. 영은이가 정말로 돈을 벌긴 했나 보구나. 요즘 내 주변에 왜 이렇게 돈 번 사람이 많은 건지 모르겠다. 원래 부자인 고 사장도 그렇고 할머님의 유산을 모두 물려받은 아가씨도 그런데 이젠 영은이까지 내 상상의 한계를 넘어선 느낌이었다.

이제 보니 나만 부자가 아니었다.

모두가 부자인데 나만 가난하다는 사실이 불공평하게 느껴져 문득 억울하다는 생각도 들었다. 그래서 조금 설익은 것처럼 느껴지는 스파게티의 면발을 껌 씹듯 꼭꼭 씹어 대면서 마치 혼잣말처럼 중얼거린 것이다.

"후우, 어디서 돈 좀 안 떨어지나."

"왜, 돈 필요하니?"

"말이라고? 세상에 돈 안 필요한 사람이 어디 있어?"

"하긴, 근데 일자리는 찾았어?"

"아니, 아직. 얼른 찾아야 하는데 적당한 자리가 없네. 그것만 해결되어도 마음이 한결 편해질 텐데."

정말이다. 지낼 곳은 둘째 치고 일자리만이라도 어찌 해결된다면 내 걱정도 훨씬 가벼워질 것이었다. 지낼 곳이야 일하면서 형편이 되는 대로 구하면 된다. 운이 좋아 일자리도 얻고 지낼 곳을 구하는 데도 성공하면 기숙사에 있는 미주를 데려와 같이 지내고 싶었다. 미주 뒷바라지도 하고 일도 열심히 해 빌린 돈을 갚으면서 지내면 좋을 것 같았다.

그런 생각을 하며 한숨을 푹 내쉬자 사뭇 안 되어 보였는지 영은이 쯧쯧 혀를 찼다.

"너도 참 딱하다. 나이 서른에 아직도 그러고 살고 있으니?"

"후우, 난들 이러고 싶겠니."

"그러엄…… 이건 네가 하도 딱해서 하는 소린데 너도 주식을 한번 해 보는 게 어때?"

"야아, 내가 어떻게 그런 걸 해. 해도 뭘 알아야 하지."

어처구니가 없어서 입이 저절로 튀어나왔다.

주식의 '주' 자도 모르는 내게 뭘 어쩌라고 그런 간 큰 권유를 하는 건가. 도둑질도 일단 배워야 할 수 있다는 사실을 무시하는 건가 지금? 뜬금없는 권유와 스스로의 무식함에 좌절하며 나는 다시 먹는 일에만 집중했다. 그런 내게 그녀가 다시 물었다.

"그럼 가진 돈은 좀 있니?"

"있긴 하지만 얼마 안 돼. 한 5백만 원쯤?"

소심하게 고백하고 나는 남몰래 얼굴을 붉혔다.

농협 빚 갚고 남은 돈을 전부 다 아버지에게 맡겨 두고 나는 간신히 한 달 월급 정도만 들고 서울로 올라왔다. 벌어서 쓰면 되겠거니 하는 단순한 생각에서였는데 생각과 달리 현실은 결코 녹록치 않았다. 무엇보다 일자리가 없고 일이 있다고 해도 일할 시간이 없었다.

할머님이 계실 땐 그랬는데 이제 고 사장의 집을 나오면 시간문제는 해결이 될 테니 적당한 일만 찾으면 되는 셈이다. 그 적당한 일이 금방 찾아지지 않을 거라는 게 또 문제긴 하지만 말이다.

"지금 신세지고 있는 집에 할머님이 계셨는데 가끔 맛있는 거 사 먹으라고 용돈을 주셨거든. 그거 모은 거랑 들고 올라온 거랑 합해서 그것밖에 안 돼."

"원룸 보증금도 안 되는 돈이구나."

"그렇지 뭐. 이제 곧 그 집에서도 나와야 하는데……."

"산 넘어 산이네."

또 쯧쯧 혀 차는 소리가 울려 퍼졌다.

답답하냐? 나도 답답하다.

앞도 뒤도 보이지 않는 신세라는 게 이렇게 부끄러울 수가 없었다. 나이 서른에 가진 거라곤 단돈 오백만 원에 빚은 자그마치 2억이나 된다. 뿐만 아니라, 서류상으로는 유부녀인데다 곧 이혼녀가 될 예정이고 주변의 거의 모든 사람들이 나를 싫어하는 중이었다. 그때였다.

한숨을 푹푹 내쉬면서도 기계적으로 스파게티를 씹고 있는데 갑자기 핸드폰이 울렸다. 고 사장이었다. 별다른 용건이 없어도 하루에 한 번 이상씩 꼭 전화를 하라는 명령 때문에 나는 매일 한 번씩 그에게 전화를 하고 있었다. 내가 전화를 하지 않으면 그가 전화를 했다. 그런데 그건 대부분 퇴근

무렵에나 하는 일이었기 때문에 이 갑작스러운 점심때의 전화는 나를 금방 긴장하게 만들었다.

"여, 여보세요?"

앞에 앉은 영은이를 의식하며 나는 조그만 목소리로 거의 속삭이다시피 전화를 받았다.

—밖인가?

"네, 네! 잠깐 나왔어요."

—몸은 괜찮아?

"네, 괜찮아요."

—식사는?

"머, 먹고 있어요."

—그래. 약 먹는 것도 잊지 말고.

"네에."

—오늘 일찍 퇴근하는데 저녁은 밖에서 먹을까? 뭘 좋아하지?

고 사장이 이상하다.

대답 대신 나는 뜨악한 기분으로 핸드폰을 바라보았다. 밖에서 먹자? 그것도 내가 좋아하는 걸로? 이런 생각을 하는 내가 매우 이상하긴 하지만, 이건 마치 데이트 신청 같지 않은가!

너무 뜻밖이라 나는 잠시 공황에 빠져 버렸다.

무어라 대답을 해야 하는지 알 수 없어서 그저 멍하니 핸드폰만 바라보다 눈짓으로 '무슨 일?'이라고 묻는 영은이 덕분에 간신히 제정신을 찾았다. 나야말로 이게 대체 무슨 일인지 알고 싶단다, 친구야.

—퇴근 무렵에 전화할게. 메뉴 선택은 전적으로 맡길 테니 뭐가 좋을지 생각해 봐.

"아니, 저기……."

뚝!

뭐라 말할 새도 없이 전화가 뚝 끊겼다. 성격 급한 고 사장은 내 대답을 기다리는 것보다 자기 마음대로 결정을 하는 게 더 낫다고 여긴 게 틀림없었다. 그러니 내겐 기회도 안 주고 그냥 그렇게 결정을 해 버린 것이다. 집에서 밥 먹자고 할 생각이었는데. 서울의 식당에서 파는 음식은 다들 너무 달아서 내 입에는 잘 안 맞는데 말이다.

거기에 고 사장이랑 단둘이 마주 앉아 먹어야 한다.

같이 사는 사람과 밥을 먹는 게 무슨 문제일까 마는, 요즘 이상할 정도로 다정하게 구는 그 사람 때문에 처음 맞선을 볼 때보다 분위기가 더 어색하다는 게 문제였다. 그렇다고 입덧하는 아가씨를 같이 데리고 나올 것처럼 보이지도 않고.

"무슨 전화인데 그렇게 받니?"

샐러드를 뒤적이면서 영은이가 물었다.

"누군데 그렇게 벌벌 떨어?"

"응? 지, 집주인."

"집주인? 지금 신세지고 있다는? 무서운 사람이니?"

"아니, 그런 건 아닌데…… 응, 조금."

부정하고 싶었지만 결국은 고개가 저절로 아래로 내려갔다.

빈말로라도, 그리 부드러운 사람이 아닌 건 확실하니까. 화를 내도 무섭고 담담해도 무섭고 다정해도 무서운 고 사장이었다. 심지어는 그냥 가만히 있어도 무서울 때가 있었다. 무서울 만큼 잘생겼고 분위기는 그보다 더 살벌한데 그런 사람에게 대고 '인상이 참 좋으시군요.' 라고 말하는 간 큰 사람은 없을 것 아닌가.

"그래도 잘해 주서."

고 사장을 위해 나는 나름대로 변명 같은 말을 해 보았다. 그러나 경직된 내 태도를 통해 이미 감을 잡았는지 영은이는 내 말을 콧등으로도 듣지 않았다.

"안 되겠다. 그러지 말고 돈을 나한테 맡기는 게 어때?"

"응?"

"내가 대신 투자를 해 줄게. 지금은 내 승률이 그럭저럭 좋은 편이라서 손해 보는 일은 없을 거야."

"글쎄, 그래도 되나?"

"안 내키면 하는 수 없고. 솔직히 나도 귀찮아. 신경은 신경대로 쓰면서 생기는 건 없으니까. 난 그냥 지금 네 형편이 어려워 보여서 해 본 말이야. 가방 하나 값도 안 되는 돈 가지고 어떻게 살까 걱정스럽기도 하고."

전이라면 믿지 못했을 이야기가 오늘은 진심으로 공감이 가려고 했다. 나에게 오백만 원은 정말 큰돈이지만 어떤 사람들에게는 절대 그렇지 않다는 걸 이제는 알기 때문이다. 영은이의 말처럼 내 전 재산이 누군가가 들고 다니는 가방 하나 값도 안 된다는 사실을 생생하게 목격한 지가 이미 오래였다.

심지어는 고 사장이 입고 다니는 양복 한 벌 값도 안 된다.

죽어라 아끼고 모은 돈을 보며 행복을 느끼다 그 사실을 깨닫고는 순간적으로 얼마나 허탈해졌었는지 모른다. 독한 마음을 먹고 고 사장의 옷 한 벌만 훔쳐다 팔았으면 그 고생을 안 해도 되었을 거라고 생각하니 허탈하다 못해 삶의 의욕까지 저만치로 훅 달아나더라.

"돈이 워낙 작다 보니 크게 벌지는 못하겠지만 잘만 하면 몇 달 내에 방 보증금 정도는 만들 수 있을 거야."

"그, 그래?"

"응. 돈을 조금 더 투자하면 더 나올 수도 있고. 아무튼 생각 있으면 연락해."

"알았어. 한번 생각해 보고 연락해 줄게."

귀가 팔랑거렸다.

워낙 애면글면하던 일이라 영은이의 한마디 한마디가 크나큰 유혹이 되어 금방 뇌리를 점령했다. 고작 몇 달 만에 방

보증금이 떨어진다니 이거야말로 횡재 아닌가. 그 오백만 원이 내 전 재산만 아니었다면 이 자리에서 당장 턱 내주었을지도 몰랐다. 그러지 않은 건 순전히 내 간이 작기 때문이었다.

친구를 못 믿어서가 아니라 주식시장을 못 믿어서 그러는 거다.

날씨도 흐릴 때와 갤 때가 있는 것처럼 주식시장도 딱 그럴 텐데 만에 하나 운이 나빠 돈을 다 잃게 된다면 그땐 어찌해야 하나. 상상만으로도 하늘이 노래졌다. 어쨌거나 아직은 고 사장이 봐주고 있으니 한 번 더 생각해 보고 나서 결정한다고 해도 그리 늦는 건 아닐 터였다.

—어디지?

영은이와 헤어져 집으로 돌아가는 길이었다.

지하철에 멍하니 앉아 내 발끝만 바라보고 있는데 고 사장이 다시 전화를 걸어왔다. 생각보다 이른 시간이었다.

"집에 가는 길이에요. 곧 도착해요."

—나도 지금 퇴근했는데 잘됐군. 그래, 저녁으로 뭘 먹을지는 정했나?

"저어, 그게…… 제가 조금 피곤해서 그러는데요. 그냥 집에서 먹으면 안 될까요?"

아, 지나치게 용감한 윤미숙. 그대는 지금 고 사장을 걷어

차고 있다.

―다시 아픈 건가?

"아, 아니요. 그런 건 아닌데 집에서 먹고 싶어서요."

―그래, 그럼. 조심해서 와. 기다리고 있을게.

기다리고 있을게.

고 사장이 기다린단다. 그냥 한 말이겠지만 오늘따라 참 달콤하게도 들리는 말이었다. 생각해 보니까 가족을 제외하고 나를 기다려 준다는 사람은 또 처음인 것 같았다. 내가 도착할 때까지 고 사장은 가끔 문을 바라보며 그렇게 기다리고 있을까? 매일매일 내가 하는 것처럼 그렇게?

"아, 왜 또 가슴이 벌렁거리고 난리지? 아까 먹은 스파게티가 잘못되었나?"

생각만으로도 가슴이 뻐근해져서 깊게 심호흡을 해 보았다.

그나저나 모처럼 저녁을 사 준다고 나섰는데 거절했다고 뿔이 나 있으면 어쩐다? 처음 있는 일이니만큼 그냥 하자는 대로 할 걸 그랬나? 혹시 다른 할 말이나 용건이 있을지도 모르는데 말이다.

거기까지 생각했을 때 문득 어떤 예감 하나가 스쳐 갔다.

일이 바쁘고 상황도 여의치 않아 지금까지는 고 사장이랑 제대로 된 대화 한 번 해 본 적이 없었다. 할머님이 돌아가시고 아가씨랑 함께 살기 시작하고부터는 아예 눈을 마주치는 일조차 드물었다. 어쩌다 가끔 집에 둘만 있게 되어도 내가 방문을 꽁꽁 걸어 잠그고 들어앉는 바람에 역시나 얼굴을 보는 것도 힘든 지경이 되고 말았고.

어쩌면 그런 상황을 참다못해 고 사장이 일부러 자리를 마련하려는 것인지도 몰랐다. 이를테면 무언가 할 말이 있으니 도망치지 말라는 신호인 거다. 혹시 앞으로의 일이나, 나의 거취 문제에 대해 결론을 내린 것일까?

"그런 건가?"

현관문을 열려다 나도 모르게 퍼뜩 움직임을 멈추었다.

정말 그런 거면 어떻게 해야 할까. 보나마나 나가 달라고 할 텐데 그땐 뭐라고 대답하지? 쿨하게 고개를 끄덕인 다음 그냥 시골로 내려갈까? 아니면 자존심 따윈 저 너머에 두고 그의 다리에 매달려 조금만 더 기다려 달라고 애원을 해?

오만 가지 생각이 몰려와 머리를 땡땡 두드려 대기 시작했다.

그 많은 생각 중 단 하나도 좋은 생각이 없다 보니 손잡이를 잡은 손도 덩달아 딱딱하게 굳어 버렸다. 손끝이 얼음장처럼 시렸다. 그때였다. 예고도 없이 문이 벌컥 열렸다.

"안 들어오고 거기서 뭐해?"

까, 깜짝이야. 보면 모르오. 놀라서 굳었잖소.

진짜 고양이 띠도 아니고 사람이 너무 그렇게 기척 없이 다니면 안 되는 거요, 고 사장.

그의 눈치를 살피면서 나는 종종걸음으로 냉큼 집 안으로 들어섰다.

"시장하시죠? 저녁 준비할게요. 아가씨는요?"

"신랑이랑 제 집에."

"네에."

아가씨가 사막에서 주워 온 남자가 왔나 보다. 근처에 새로 지은 집을 단장하느라 바쁘다 보니 요새는 거의 아가씨랑 붙어사는 것 같았다. 며칠 후면 아가씨는 완전히 이사를 하게 된다. 그러면 내가 할 일도 대부분 사라지게 되는데 아마 그때 즈음에 맞추어 내 신변에도 변동이 생기지 않을까 싶었다. 다른 건 몰라도 지금까지 그랬듯 한가하게 지내는 건 불가능할 것이다.

고 사장, 그래도 조금만 더 참아 주면 안 되겠소?

내가 여전히 개털 신세라 아직 돈을 갚을 여력도 안 되고 갈 곳도 정하지 못했소. 시간을 조금만 더 준다면 어떻게 방법이 생길 것도 같소만.

외식을 할 생각에 고 사장이 아주머니들까지 몽땅 퇴근을 시켜 놓은 덕분에 혼자서 부랴부랴 저녁을 준비하며 나는 그렇게 앞으로의 일들을 고민해 보았다. 그러곤 고 사장과 마주 앉아 대강 먹는 시늉을 했다. 요즘은 먹어도 먹는 것 같지 않고 자도 자는 것 같지 않아서 어떤 때는 잠자리나 밥때를 챙기는 일이 귀찮게 여겨질 때도 있었다.

왜 사람은 삼시세끼를 다 챙겨 먹어야 하나. 귀찮은데 그 냥 하루에 한 번만 먹으면 안 되는 건가?

"입맛이 없나?"

젓가락으로 밥알을 세는 꼴을 보았는지 고 사장이 한숨처럼 물었다.

"아, 아니에요. 그냥 아까 주전부리를 조금 했더니……."

"그래? 친구를 만났다고 했었지?"

"네. 같이 자란 고향 친구예요."

"그렇군. 그럼 다음에 집에도 한번 초대하지."

유감스럽지만 그런 일은 절대 없을 줄 아옵니다.

그 친구는 내가 결혼을 했다는 사실조차도 모르고 있소이다. 부끄러운 과거이므로 빚을 다 갚고 독립을 할 때까지 극비 사항으로 남겨 두고 싶은 작은 소망이 있답니다.

쓴웃음으로 대답을 대신하고 나는 다시 먹는 일에 몰두하는 척했다. 그런 나를 유심히 보는 그의 시선이 느껴졌지만 요즘 종종 있는 일이다 보니 이제는 별로 신경이 쓰이지 않았다. 간신히 식사를 마치고 한동안은 주방에서 시간을 보냈다.

설거지도 하고 쓸데없는 청소도 하고 이것저것 정리하는 척하면서 저녁 시간을 소모하다가 고 사장의 기척이 느껴지지 않을 때가 되어서야 슬그머니 거실로 나섰다. 그리고 돌이 되었다.

오늘따라 더 넓게 느껴지는 거실 한쪽, 내가 늘 서 있곤 하는 바로 그 자리에 고 사장이 혼자 서 있었다.

창가에 서서 그는 어두운 정원을 바라보고 있는 듯했다.

그 모습에 나는 갑자기 먹먹해졌다. 바지 주머니에 손을 넣고 우두커니 서 있는 뒷모습이 오늘따라 너무 쓸쓸해 보여서다. 저 사람은, 저 사람은 대체 왜 저러고 서 있는 건가.

어두워서 아무것도 안 보일 텐데 왜 거기에서 그러고 서 있는 겁니까, 고 사장.

할머님이 그러셨다. 그는 엄청 고독한 사람이라고. 마이클도 그랬다. 그는 외로운 사람이라고.

가족이 다 있고 돈도 있고 능력도 있는 사람이 뭐가 그리 고독하고 외롭다는 건지 솔직히 이해를 하지 못했었다. 그런데 지금은 그 말이 사실처럼 느껴졌다. 혼자 서 있는 그는 어쩐지 조금 추워 보였다.

부모님을 일찍 잃었고 이제는 할머님도 안 계셨다. 제각각 가정을 꾸린 동생들이 있지만 왕래가 잦은 건 아니라서 이 넓은 집은 언제나 텅 비어 있기 일쑤였다. 그동안 친구나 회사 동료가 오가는 것도 보지 못했다. 흔한 집들이 한 번 한 적이 없다는 사실을 나는 이제야 깨달았다. 그렇다면 고 사장은 무슨 재미로 살고 있는 것일까.

'직업은 돈 벌기, 부업도 돈 벌기, 취미도 돈 벌기. 돈 버는 것 말고는 아무것도 할 줄 모르는 사람. 심지어 돈을 쓰는

일조차 즐기지 않는 사람. 그게 뭐야, 바보같이.'

보이지는 않지만 마치 거실 안쪽까지 그의 그림자가 길게 늘어져 있는 것만 같았다.

무저갱처럼 짙은 그 어둠을 나는 한동안 멍하니 보고만 있었다. 이상하게 가슴이 아파 왔다. 한 번도 상상해 본 적이 없는, 낯선 생각도 찾아왔다. 이 공룡 같은 집에 나마저 없으면 그는 혼자서 어떻게 지낼까 하는.

'그거 신고 도망가라는 거 아니여. 혹, 딴 데 가더래도 꼭 큰애 옆으로 돌아오라고 사 주는 겨.'

유언 같았던 할머님의 말이 뇌리에서 빙빙 맴돌았다.

"음? 일 끝났나?"

"예? 아, 예."

멍하니 서 있는 사이 고 사장이 나를 발견하고 다가왔다. 그러더니 언제 준비한 건지 손수 약을 데워 대령하는 거다.

"자, 마셔."

진득하게까지 보이는 까만 액체가 디밀어졌다.

쓴 냄새가 확 풍겼다. 사실은, 먹는다는 말만 해 놓고 하루 종일 약에는 손을 대지 않고 있었더랬다. 지나치게 단 것도 못 먹지만 나는 쓴 것도 싫어했다. 이 쓴 걸 내가 왜 먹어야 하나.

아무것도 모르는 동서가 애 낳으라고 사 온 약은 나에겐 아무 소용이 없는 것이었기 때문에 내키지 않는다면 안 먹어도 괜찮을 터였다. 상황을 다 알면서 그런 약을 굳이 먹이려는 이유는 뭔가. 먹고 죽으라는 뜻인가?

심정은 그러하였으나 반항은 꿈도 못 꾸는 일이었기 때문에 나는 사약을 받는 심정으로 간신히 약을 삼켰다. 좋은 약은 입에 쓰다더니 정말 손발이 오그라들게 쓴 약이었다. 눈물이 쏙 빠지도록 쓴 약을 먹고 치를 떠는 내 입에 고 사장이 작은 사탕을 하나 넣어 주었다. 그러더니 피식 웃으면서 마치 칭찬을 하듯 한 손으로 내 머리를 쓰다듬어 주는 거다.

지금 병 주고 약 주는 거요, 고 사장?

심통 부리듯 볼을 부풀리고 인상을 홱 쓰자 갑자기 그가 소리 내어 웃었다. 하하하. 큰 웃음소리가 넓은 집 가득 퍼져 나가고 있었다. 쿵! 순간, 머릿속이 멍해졌다. 고 사장이 웃는다.

심장이 미친 듯이 달음박질을 쳤다.

순식간에 얼굴이 홧홧하도록 달아올랐다. 그러면서도 웃는 고 사장의 얼굴에서 눈을 뗄 수가 없었다. 이렇게 웃을 수도 있는 사람이었구나, 그는! 새로운 발견에 기뻐하면서도 어쩐지 눈물이 날 것만 같아 나는 입술을 꼭 깨물었다.

아아, 윤미숙이 또 이상하다.

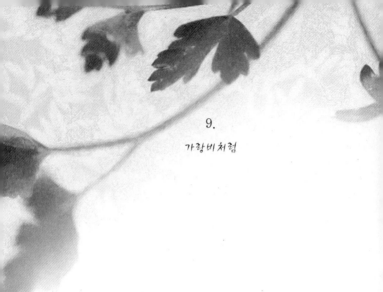

9.
가랑비처럼

사랑이란 게 처음부터 풍덩 빠지는 건 줄만 알았지 이렇게 서서히 물드는 것인 줄은 몰랐어.

—미술관 옆 동물원(1998) 中—

"내일요?"

—죄송해요, 형님. 날이 더워 그런지 입맛 없다고 그이가 요즘 먹는 둥 마는 둥 해서요. 그래도 형님이 해 주신 건 잘 먹으니까 혹시나 하고…….

"알았어요. 내일은 괜찮으니까 서방님 모시고 갑이 오세요. 안 그래도 아기도 보고 싶고 그랬어요."

—정말요? 아, 다행이다. 감사해요, 형님.

"뭘요. 내일 봐요, 그럼."

한창 더운 때였다.

볕이 따뜻하다고 했다가 이제는 더워 죽는다고 할 정도로 푹푹 찌는 날씨가 이어지고 있었다. 이런 때에 동서가 입이 궁금하다며 전화를 했다. 서방님 핑계를 대고 있긴 하지만 결국은 '나 맛있는 것 좀 해 주세요.' 하는 소리였다. 여간해서는 하지 않을 말을 꺼낸 것을 보면 동서도 입맛을 잃고 있는 게 틀림없는 게다.

"지난주에도 다녀가지 않았나?"

고 사장이 옆에서 예리하게 사실을 지적했다.

전엔 안 그랬던 것 같은데 동서네도 그렇고 아가씨도 요즘엔 매주 찾아오고 있었다. 보고 싶어서가 아니라 밥을 먹으러 오는 거다. 가족이니 찾아오는 거야 누가 말릴까 마는 올 때마다 차려 내야 하는 음식 종류가 점점 더 늘다 보니 이제는 이렇게 미리 전화로 통보를 하고 온다. '먹고 싶은 게 이만큼이니 다해 주시오.' 하는 소리였다.

"내일은 마트로 가야겠어요."

"살 게 많아?"

"네. 동서는 잡채가 먹고 싶고 서방님은 얼큰한 육개장을 찾는대요. 아기도 오고요. 그리고 아가씨는 냉면이에요."

"은수도 오나?"

"네. 못 와도 사흘에 한 번은 오시잖아요."

사야 할 것들을 점검하며 끄덕끄덕 고개를 끄덕였다.

누군들 부엌에 처박혀 하루 종일 일을 하고 싶을까 마는 그래도 모처럼 가족들이 다 모이는 날이니 어쩔 수 없었다. 누구보다 고 사장이 좋아하는 날이라 더 그랬다.

아가씨가 이사를 나간 후 한동안 나는 주말마다 고 사장을 핑계로 가족들을 죄다 불러 모았다. '그이가 요즘 부쩍 외로움을 타나 봐요.'라고 공갈을 쳤더니 아가씨는 물론이고 성질 나쁜 서방님도 두말없이 주말 저녁 시간을 비워 주었다. 그래서 봄 내내 주말마다 모여 저녁을 먹는 게 일이었는데 그게 습관이 되었는지 요즘엔 오지 말라도 해도 알아서 오고 있었다.

아니, 사실은 너무 자주 오고 있어서 문제였다.

그냥 일주일 혹은 이 주에 한 번씩만 오다가 요새는 거의 매주 보는 것은 물론이고 어떨 땐 사흘도 안 지나 다시 오곤 했다. 그게 다 할머님이 물려주신 장독과 내가 가꾼 텃밭 때문이었다.

잘 숙성된 장과 텃밭에서 갓 따 낸 야채들이 얼마나 맛난지 입맛 까다로운 고 사장도 요새는 고추랑 쌈장만 있으면 밥 한 그릇을 뚝딱 비울 정도였다. 입맛이 길들여져서 며칠 안 먹으면 또 생각난다고 동서가 하소연을 한 것도 영 빈말은 아닌 것이다.

"풀 뽑아 줄게."

도와준답시고 고 사장이 한마디 했다. 그런데 이걸 어쩌나?

"아, 아니에요. 안 도와주셔도 돼요. 그러니까 절대로 텃밭엔 들어가지 마세요. 네?"

"이젠 부추랑 풀 정도는 구분할 수 있어."

"그래도 안 돼요! 쑥갓이랑 상추가 나오고 있단 말이에요. 그건 아직 구분 못하잖아요."

처음 부추가 나올 때 고 사장은 풀 뽑는 일을 도와준다며 텃밭으로 난입을 했었다. 그러곤 풀과 함께 부추를 죄다 뽑아 놓았다. 얼마나 깔끔하게 뽑아 놓았는지 그달 내내 부추라고는 구경을 못했었다. 그제야 나는 그가 풀과 나물을 구분하지 못한다는 사실을 깨닫고 땅을 쳤지만 때는 이미 늦은 뒤였다. 이후, 나는 그에게 텃밭 금지령을 내렸다.

"차라리 내일 장 보는 걸 도와주세요. 네?"

"음, 좋아."

그가 선선히 고개를 끄덕였다.

이것도 텃밭 덕분에 달라진 점이었다. 장독을 옮기고 밭을 만들면서 우리는 전보다 더 많은 대화를 나누게 되었다. 처음엔 대부분 텃밭에 심을 채소를 정한다거나 그 채소를 심는 방법에 대한 것들뿐이었지만 지금은 이야깃거리도 더 다양해졌다. 예를 들자면, 나의 자선 모임 같은 것들 말이다.

"오늘이었나?"

날짜를 기억해 낸 그가 지나가듯 물었다.

"네. 참, 식당 예약해 주셔서 감사해요."

"음. 이따가 데리러 갈까?"

"아니에요. 가까운 곳인걸요. 지하철 타면 30분도 안 걸린 대요."

"……."

"와, 와 주시면 더 좋고요."

아, 나는 왜 고 사장의 진지한 눈빛 공격 앞에서는 한없이 작아지는 것일까. 그가 입을 꾹 다물고 찐하게 바라보면 왠지 엄청 큰 잘못을 하고 있는 것만 같아서 공연히 죄책감까지 느껴졌다. 그리하여 나도 모르게 바로 두 손을 들게 되는 것이다. 항복이었다.

고 사장, 나도 이젠 길 잘 찾을 수 있소. 지하철도 제대로 잘 탈 자신이 있소이다마는.

마중 나오는 것도 재미가 들렸는지 그는 지난번의 첫 경험(?) 이후 꾸준히 나를 데리러 나오고 있었다. 날짜를 나보다 더 정확히 기억하고 있는데다 시간도 얼마나 칼같이 잘 지키는지 실수로라도 잊거나 늦는 법이 없었다. 아니, 차량 운전기사는 팽팽 놀고 있는데 왜 꼭 자신이 나오고 싶어 하는 건가. 피곤하지도 않나?

당신의 친절은 왠지 모르게 부담스럽소, 고 사장.

고 사장이 점점 더 친절해지고 있었다.

어느 정도냐면, 이번에 우리 모임을 위해 직접 식당을 예약해 주는 친절을 베풀 정도였다. 뭐, 따지자면 그것도 다 내가 모자란 탓이었지만.

사실은, 지난번 모임에서 만난 젊은 사람들끼리 친목을 도모하자며 얼마 전부터 따로 모이기 시작했는데 거기에서 어쩐 일로 내게 식당 예약하는 일을 떠맡겼다. 그런 일은 언제나 총무의 몫이었지만 내가 그동안 워낙 한 일이 없다 보니 나에게도 기회를 준답시고 총무가 반강제로 맡긴 일이었다. 그래서 어쩔 수 없이 식당 이름과 전화번호를 받아 가지고 온 거다.

고 사장이 그 식당의 이름을 본 건 순전히 우연이었다.

시간 날 때 전화를 한답시고 메모지를 전화기 옆에 두었었는데 그걸 우연히 발견하고는 아는 곳이라며 대신 전화기를 붙잡은 것이다. 근데 그냥 아는 곳이 아니라 사장과도 친분이 있었는지 직접 연결을 해 꽤 정답게 통화를 하더라, 불어로. 아무튼 영문 모를 그 친절 덕분에 나는 처음으로 맘 편하게 모임에 나갈 수 있게 되었다.

'진짜로 그날, 그 시간에 예약을 했단 말이지?'

믿기지 않는다는 투로 묻던 총무의 목소리가 잠시 떠올랐다 사라졌다. 혹시 내가 식당도 제대로 예약하지 못할 만큼 바보라고 생각했던 건 아니겠지?

"생각할수록 기분이 이상하네. 굳이 제일 쉬운 일이라고 강조할 건 또 뭐였냐고."

말하지 않아도 쉬운 일이라는 건 나도 안다. 쉬운 일이니까 나한테 맡겼다는 것도 안다. 근데 그렇게 치면 우리 모임에서 안 쉬운 일은 또 뭐가 있단 말이냐. 모여서 하는 일이 고작해야 밥 먹고 차 마시고 수다 떠는 것뿐인데 말이다.

"딱히 하는 일도 없으면서 밥집은 꼭 비싼 데만 다니더라."

덕분에 좋다는 레스토랑은 다 다녀 본 것 같아 나는 나직하게 혀를 찼다. 아, 혹시 이번에 예약한 곳도 엄청 비싼 곳인가? 불길한 예감이 몰려왔다. 고 사장이 아는 곳이라는 사실도 그 불길함에 한몫한 건 물론이었다. 고급 취향인 그가 알 정도라면 비싼 것을 넘어 어쩌면 업계에서 꽤 유명한 곳일지도 모르니까.

"아, 왜 그 생각을 못했지?"

뒤늦은 깨달음에 괴로워하며 나는 조심스럽게 약속 장소로 들어섰다. 호텔 건물 내에 있다고 해서 엘리베이터를 타고 35층까지 올라갔다. 높아서 그런지 유리문 밖으로 보이는 전망이 끝내줬다. 해 질 녘 서울 시내의 모습이 한눈에 다 들어오고 있었다.

"어머, 자기 왔구나!"

"어서와, 미숙 씨."

먼저 와 있던 총무 일행이랑 입구에서 딱 마주쳤다.

더는 바보 취급을 당할 수 없다는 생각에 다른 때와 달리 나는 조금 도도한 표정으로 고개를 숙여 보였다. 그러곤 안내를 받아 예약한 자리를 찾았다.

눈이 부셨다.

확 트인 전망이랑 금박을 입혀 놓아 반짝반짝 빛나는 실내가 단박에 눈을 사로잡았다. 촌것 티를 내지 않기 위해 노력했음에도 불구하고 나는 어느새 입까지 쩍 벌리고 주위를 두리번거리고 있었다. 머리 위에서 반짝이고 있는 샹들리에가 아주 으리으리했다. 우리 서방님 빌딩에 달아 놓은 건 개당 5천만 원짜리라던데 저건 얼마나 하려나? 더 비싸겠지?

"그렇게 안 봤는데 미숙 씨도 재주가 참 좋아."

따로 마련된 별실에 자리를 잡기가 무섭게 총무가 방긋 웃는 얼굴로 선방을 날렸다. 그런데 무슨 말인지 모르겠다. 재주가 좋다니. 예약을 잘했다는 소리인가 아니면 내가 모르는 또 다른 의미가 있는 것인가. 칭찬인지 비웃음인지 구분이 안 가는 미묘한 웃음소리가 음악을 타고 나직하게 오고 갔다.

"저어, 무슨 말씀이신지……?"

다른 때라면 그냥 넘겼을 법한 일이지만 웬일인지 오늘은 그냥 넘기고 싶지 않아 나도 모르게 불쑥 물었다.

"제가 모르는 일이라도 있었나 봐요?"

"별건 아니고, 고 사장님 선본 거 사실이라면서?"

"들어보니까 미숙 씨가 내보낸 거라던데 진짜예요?"

"아니, 그랬으면서 고 사장님은 왜 엉뚱하게 홍 여사님께 화풀이를 했대요?"

"그날 나온 상대가 마음에 안 들었나?"

자기들끼리의 얘기에 '까르르' 하는 웃음소리가 터져 나왔다.

순간, 민망함으로 얼굴이 화끈 달아올라 나는 말도 못하고 입만 꾹 다물고 앉아 있었다. 그러니까 나는 그게 그렇고 그런(?) 카드라는 사실을 몰랐다니까 그러네. 뭐 알았다고 해도 전해 주긴 했을 테지만. 근데 고 사장이 홍 여사님한테 화풀이를 했다는 소리는 또 뭘까? 호기심이 민망함을 이겼다. 나는 애써 아무렇지도 않은 척 물었다.

"화풀이라니요?"

"어머, 모르고 있었어요? 화성, 이번에 1차 부도 났잖아요."

"그거 고 사장님이 한 일이라는 거 이미 파다하게 소문이 났거든요. 홍 여사님이랑 한판 붙었다고 듣긴 했었는데 그렇게 완전히 밟아 놓을 줄은 몰랐어요."

"고 사장님도 참 잔인해. 혹시 그거 미숙 씨가 부탁한 건 아니겠죠?"

"에이, 설마. 그게 부탁으로 될 일이야?"

화성 그룹이라면 홍 여사님 일가가 경영하는 회사였다.

대기업이라고 알고 있었는데 그런 회사를 고 사장이 부도로 몰았다는 소리인가. 왜? 지난번에 두 사람 사이에서 숨 가쁘게 오고 가던 대화와 긴장감 어린 분위기가 다시 생생하게 되살아나 뇌리를 스쳐 갔다.

그냥 카드 한 장 전해 주었을 뿐인데 고 사장이랑 홍 여사님은 원수지간이 되어 내가 모르는 사이 피가 터지도록 싸웠단다. 일단은 고 사장이 이긴 것 같아 안심이 되긴 했지만 그래도 마음 한편에서는 감출 수 없는 불안함이 꿈틀거렸다. 대체 내가 무슨 짓을 한 것일까.

"그럼 곧 이혼한다는 말도 사실이야?"

소꿉놀이 세트 같은 에피타이저가 나왔을 때였다.

한여름에 때아닌 한기를 느끼고 있는 내게 총무가 눈을 반짝이면서 다시 물었다.

"선 자리까지 내보낸 거 보면 아주 없는 소문도 아닌 것 같은데. 아니야?"

"사실, 우리도 짐작은 하고 있었어요. 선봐서 급하게 한 결혼에 무슨 애정이 있겠어요. 그래서 다들 길게 못 갈 거라고 예상했던 거예요."

"들으니까, 각방을 쓴다면서요?"

"누가 그러더라고요. 영락없는 부엌데기 신세라고요."

"비밀로 해 줄 테니까 우리한테만 살짝 말해 봐. 두 사람 진짜 갈라서는 거야?"

여섯 쌍의 눈동자가 악다구니를 쓰듯 한꺼번에 몰려들었다.

모처럼 구경거리를 발견한 듯 잔인한 호기심으로 번뜩이는 시선들이 내 얼굴을 샅샅이 훑고 있었다. 젊은 사람들끼리 친하게 지내자고 하더니 이게 친하게 지내는 건가. 긴장으로 손이 떨렸다. 이상하다. 이런 상황은 상상도 못했었는데 다들 우리 집 상황을 어떻게 이렇게 잘 알고 있는 것일까.

머릿속이 빙빙 돌았다.

이럴 땐 어떻게 해야 하나. 각방 쓰는 것도 맞고 내가 부엌데기인 것도 맞고 어쩌면 곧 갈라서게 될지도 모르지만 그 모든 것들을 인정하자니 어쩐지 조금 화가 났다. 제3자이면서 내 일에 웬 상관들이란 말인가. 이건 명백한 폭력이었다. 이 사람들은 단순히 나를 괴롭혀 주고 싶은 게 틀림없었다.

"잠깐 화장실 좀……."

눈물을 꾹 참고 나는 벌떡 일어섰다.

잠깐 머리를 좀 식혀야 할 것 같았다. 시골에서처럼 나오는 대로 내지르지 않기 위해 심호흡을 하고 화를 안으로 삭였다. 거울 속의 나를 바라보며 나는 야무지게 입술을 깨물었다.

'안 어울린다는 거 알아. 내가 촌것이라서 끼워 주기 싫은 것도 알아. 나도 그 정도의 눈치는 있어. 하지만 내 앞에서, 당사자 앞에서 이러는 건 예의가 아니잖아?'

으드득 이가 갈렸다.

마음 같아서는 밥상을 뒤엎은 다음 한 대 쳐 주고만 싶은 심정이었다. 하지만 절대로 그래서는 안 되었다. 왜냐면 이건 고 사장이 나가라고 해서 참석하고 있는 모임이었으니까. 홍 여사와의 일처럼 내가 여기서 잘못하면 그에게 또 다른 피해가 갈지도 모르니까.

"참자, 참아야 해. 미숙아, 은혜 갚는다고 생각하고 참아. 무조건 참아."

주먹 쥔 손이 부들부들 떨렸다.

고 사장 덕분에 아버지는 농협 빚 걱정을 덜었고 미준이는 무사히 대학을 졸업했고 미주도 어엿한 대학생이 되었다. 그가 우리 가족에게 해 준 걸 생각하면 이 정도는 얼마든지 참을 수 있었다. 고 사장뿐만 아니라 나는 서방님도 생각해야 하고 아가씨도 생각해야 한다. 마지막까지 그분들한테 누를 끼칠 수는 없었다. 애써 각오를 다지며 나는 다시 별실로 향했다.

"반반한 얼굴 하나로 그 남자를 꼬여 낸 거지 뭐. 그렇지 않으면 지가 무슨 수로 그 대단한 남자를 만나?"

"아니야. 보니까 그 남자 할머니가 죽기 얼마 전에 중신을 한 거래. 죽기 전에 장가가는 모습은 꼭 봐야겠다고 하면서. 그래서 마음에도 없는데 할머니 생각해 서둘러서 결혼한 거라지 아마?"

"아무리 그래도 그렇지 왜 하필 저런 여자야? 아무 연고도 없는 시골 과수원집 딸이라면서요?"

화장실을 나서기가 무섭게 왁자하게 떠드는 소리가 별실 밖에까지 쩌렁쩌렁 울려 퍼지고 있는 것이 들렸다. 각오를 다지고 나온 일이 무색하게끔 얼굴이 순식간에 달아올랐다.

"그 과수원도 원래 자기네 것이 아니었다대. 소작 같은 거였지. 결혼하면서 그 남자가 사 줬다고 하더라고. 빚도 다 갚아 주고. 완전 신데렐라가 탄생했다니까."

"할머니가 병치레하다가 죽었다고 들었는데 그게 그냥 노환 같은 게 아니라 노망이었나 봐?"

들어가지도 못하고 달아날 수도 없어서 나는 황급히 모퉁이에 숨어 주위를 살폈다. 그때였다, 저만치 창가 자리에서 문득 낯익은 얼굴이 하나 눈에 들어온 것은.

'애심 씨?'

한 손에 포크를 든 애심 씨가 눈에 쌍심지를 켠 채 나를 노려보고 있었다. 아니, 정확하게는 시끄러운 별실과 나를 번갈아 가며 노려보는 중이었다. 왜 하필이면! 당혹스러움과 민망함이 동시에 몰려왔다. 허공을 격하고 시선이 딱 마주쳤다. 다 들었나? 이글이글 불타는 분노의 오라가 나에게까지 생생하게 전해지고 있었다. 그녀가 싸늘한 표정으로 입술을 깨무는 것이 보였다.

"그 백 봤어요? 꼴에 명품 좋은 건 알았던 모양인데 그러면 뭐해? 유행 지난 지 한참이나 된 걸."

명품? 미안하지만 짝퉁이다. 내가 길거리에서 고른 걸 영은이가 5만 원이나 들여 사 줬다. 그것도 명품인지 뭔지도 모르고 있다가 영은이가 가르쳐 준 다음에야 그런가 보다 했다.

"구두는 또 어떻고. 나는 시장 좌판에서 파는 걸 사 신었나 했다니까. 돈 많은 남편 두고 그게 무슨 꼴인지 몰라. 아무리 남편이라도 그 정도면 상대해 주고 싶은 마음이 안 들긴 하겠지만. 하긴, 마음도 없는데 고작 그런 여자를 데리고 살아 주는 게 어디야?"

구두는 할머님이 사 주신 물건이었다.

유품이나 진배없는 것이라 나는 오늘까지도 소중하게 아껴 신고 있었다. 고 사장도 안다. 그래서 여태껏 신발 가지고 나를 나무라는 걸 본 적이 없다.

"얼마나 갈까? 이제 겨우 일 년 됐는데, 남들 보는 눈도 있고 하니까 몇 년 더 가려나?"

"에이, 설마 몇 년씩이나? 일 년 더 버티면 용하지. 애라도 생기기 전에 그 남자한테 주변에 있는 참한 아가씨들 좀 소개해 주는 게 어때?"

"아서, 다들 홍 여사 꼴이 나고 싶어서 그래?"

말리려는 건지 어쩐 건지 총무가 슬쩍 나무라고 나섰다.

"보니까 아직은 때가 아니야. 소문과 달리 고 사장이 제법 아껴 주고 있는 모양이더라고. 이 식당도 직접 예약해 준 것 같고. 때마다 마중 나오는 걸 보고도 몰라?"

"어머, 그럼 우리 실수한 건가?"

"아니, 그러면 아까는 왜 그렇게 밟아 놓은 거야?"

"왜긴? 촌것 주제에 고 사장 믿고 도도하게 고개를 들고 다니는 게 건방지잖아. 이 기회에 잘 밟아 놔야 앞으로도 말을 잘 들을 것 아니겠어?"

거기까지 들었을 때였다.

언제 자리에서 일어난 건지 애심 씨가 마주 앉아 있던 남자를 버리고 나를 향해 성큼성큼 걸어오고 있었다. 그런데 분위기가 보통 심상치 않았다. 얼마나 살벌한지 기세로만 봐서는 맨손으로 멧돼지도 때려죽일 수 있을 것 같았다. 한걸음에 다가온 그녀가 별실 앞에 우뚝 섰다. 별실이라지만 따로 문이 있는 게 아니라서 안쪽에 있는 모두가 금방 그녀를 발견하고 말았다.

너무 놀란 나머지 손이 먼저 나갔다. 왜 이러세요. 네?

"어, 어쩌려고 이래요, 애심 씨?"

나는 조심스럽게 그녀를 잡아채고 살살 달래려고 들었다. 그러나 이미 화가 머리끝까지 오른 그녀는 그런 나를 매정하게 뿌리치고 또 이를 으득 갈았다. 겪어서 안 일이지만 애심 씨의 성격은 보기보다 훨씬 더 다혈질이었다. 밝고 솔직한 건 맞는데 가끔 뿔이 날 때면 돌연 너무 솔직해지면서 입이 험악해질 때가 있었다.

"그 입 다물어요. 멍청하게 당하고나 있는 주제에."

바로 이렇게.

나를 홱 떼어 내고 그녀가 허리를 펴고 당당하게 섰다. 그제야 소리가 너무 컸다는 사실을 깨달은 여자들이 놀란 얼굴로 일제히 우리를 돌아보았다. 그런 여자들을 슥 둘러보다 문득 애심 씨가 모델처럼 허리에 손을 척 얹으면서 말했다.

"나 예쁘지?"

으응?

"그래, 내가 생각해도 나 예뻐. 더구나 우리 아빠 재벌은 아니어도 나름 돈 좀 있다고 자부하는 부자고. 그 주변에 있다는 참한 여자들 중에서 나보다 더 예쁘고 동시에 돈 많은 아빠까지 둔 여자 있어?"

"무, 무슨······?"

"뭐야, 저 여자?"

황당했는지 총무를 비롯한 그녀의 일당들이 작게 수군거렸다. 미안하지만 나도 황당했다. 그러거나 말거나 깔끔하게 무시하고 애심 씨는 또 씩 웃었다. 예쁘긴 한데 웃으니까 꼭 마녀 같다.

"이렇게 예쁘고 잘난 여자도 눈에 안 차서 돌멩이 보듯 하던 남자가 만난 지 한 달 만에 결혼을 하겠다며 데려온 여자가 바로 이 여자야. 니들이 고작이라고 부르는 이 여자라고."

"······."

"수준? 니들 돈은 좀 있어서 수준 따지는 모양인데, 그 돈의 위력이 어떤 건지 한번 제대로 겪어 보고 싶어?"

빽 소리치면서 그녀가 내 손을 잡고 홱 끌어다 앞에 세웠다. 그러더니 손가락으로 내 얼굴을 쿡 가리키면서 다시 말을 이었다.

"내 친구는 재벌이야. 현금만 수백억에 빌딩도 있지. 걔 남편은 더 부자라서 억만장자라고 불리고. 근데 걔가 이 여자 시누이네? 걔가 이 여잘 얼마나 좋아하는지 알아? 기분 더럽게 20년 친구인 나보다 이 여잘 더 챙겨. 걔가 이 일을 알면 당연히 기분 나쁘겠지?"

이제 보니 우리 아가씨 엄청 부자였구나.

근데 아가씨보다 어쩐지 애심 씨가 더 기분이 나빠 보였다. 자존심이 상한 걸까? 짝사랑하는 남자랑 같이 사는 여자가 자기보다 더 모자라다는 사실이 하필이면 이런 식으로 만천하에 드러나 버려서? 아니면 그 남자의 체면을 깎아내리고 있는 나와 이 상황에 대한 분노일까?

"니들 여기 어떻게 들어왔니? 예약하고 기본 3개월은 기다려야 한다는 곳에서 니들 따위가 어떻게 황금 시간대에 저녁 모임을 가질 수 있는 거야? 보나마나 저 여자 남편이 돈 좀 썼을걸? 그렇게 공으로 얹혀 들어온 주제에 그 입으로 개소리나 지껄이고 있다니. 미친 거 아냐?"

애심 씨가 이렇게 입이 화끈하다.

곱게 자란 아가씨가 어쩌면 이렇게 말을 시원하게 하는지 가히 당할 자가 없어 보였다. 그런데 이 식당, 예약하고 석

달이나 기다려야 한다는 말이 진짜일까? 미친 거 아냐?

"뭐, 뭐라고?"

"아니, 이게 정말!"

"닥쳐, 이 멍청이들아! 나 같으면 이러고 있을 시간에 집구석에 뛰어가서 남편들한테 싹싹 빌겠다. 왜냐하면 이제부터 이 한애심이가 저 여자 남편한테 니들이 한 소릴 고대로 읊을 테니까."

그 말을 끝으로 그녀는 정말로 핸드폰을 꺼내 들었다.

어? 이게 아닌데! 그러면 고 사장도 모든 사실을 알게 되고 고 사장이 사실을 알면 안 그래도 위태로운 내 입장이 뭐가 될 거란 말이냐.

멍하니 정신을 놓은 사이 놀란 여자들이 와르르 달려들어 그녀의 손에서 핸드폰을 빼앗으려고 들었다. 그때였다.

짝!

날카로운 소리와 함께 애심 씨의 얼굴이 옆으로 홱 돌아갔다. 덩달아 내 입이 벌어졌다. 세, 세상에 지금…… 때린 거야? 그래? 충격받은 얼굴로 애심 씨가 한쪽 볼을 감싸 쥐었다. 맞지도 않은 곳이 아파 오는 것 같아 나도 같이 볼을 감싸 쥐었다. 얼떨결에 그녀를 후려친 총무가 하얗게 질린 얼굴로 그녀와 나를 보고 있었다.

"애심 씨!"

비명처럼 그녀를 목 놓아 부르며 나는 부르르 다가들었다.

다른 여자들도 놀라 일제히 움직임을 멈추고 우리를 바라보았다. 부들부들. 볼을 감싸 쥔 손이 눈에 띄게 떨리는 것이 보였다. 이제 무슨 일이 벌어지게 되는 것일까. 두려움이 몰려오고 그녀의 눈에서는 초점이 사라졌다.

"너, 니들이 감히 나를 때려? 우리 아빠도 안 때리는 날?"

다음 순간, 애심 씨는 놀라서 멍하니 서 있는 총무의 얼굴에 주먹을 날려 주고 있었다.

"죽었어!"

"악! 애심 씨, 애심 씨!"

총무의 다리를 걸어 자빠뜨린 다음 올라타 머리채를 쥐고 마구 흔드는 그녀를 멍하니 보다 다른 여자들이 일제히 달려들었다. 처음엔 떼어 놓기 위해 그러는 줄 알았지만 나는 곧 그게 아니라는 사실을 깨달았다. 그녀들이 애심 씨를 향해 주먹질을 하기 시작한 것이다.

"이것들이!"

"아악! 너 지금 쳤어?"

"그래, 쳤다. 어쩔래?"

우왕좌왕하다 정신을 차려 보니 나는 어느새 신발까지 벗어 든 채 그녀들과 맞서 싸우고 있었다. 주먹이 날아오면 발이 나가고 동시에 신발이 허공을 날았다.

오냐, 안 그래도 그동안 참기만 하느라고 성질 더럽힐 뻔했다. 니들 오늘 다 죽었어!

곳곳에서 날카로운 비명이 터지자 곧 직원들이 우르르 달려왔다. 그때까지 나는 이름도 모르는 여자의 머리채를 잡고 한 손으로는 죽어라 신발을 휘두르고 있었다.

"난 잘못한 거 없어요."

아가, 제발 그 입 좀 닥쳐라잉.

팔짱을 척 끼고 다리까지 꼬고 앉은 채 애심 씨가 그렇게 말했을 때 나는 남몰래 한숨을 내쉬고 있었다. 머리는 산발이 되고 얼굴은 맞아서 벌겋게 부었는데 잘났다는 듯 고개를 빳빳이 들고 있는 폼이 너무 어이가 없어서.

'뭘 잘했다고 니가 시방 큰소리질이란 말이냐.'

저만 맞았으면 말을 안 한다.

그녀가 한 명을 깔아뭉개고 앉아 주먹을 날리고 있을 때 나는 혼자서 나머지 다섯 명을 상대하고 있었다. 덕분에 맞기도 내가 더 맞아서 머리칼도 엉망이고 입술은 찢어져 피가 흘렀다. 거기다 한쪽 눈도 홧홧하게 아프고 몸은 욱신거려서 곳곳이 결렸다. 손에 잡고 열심히 휘둘러 댄 신발은 다 떨어져서 이미 넝마나 다름없는 상태가 된 후였고.

아, 진짜 이게 어떤 건데……!

속이 상해서 미칠 것 같았다. 엉뚱한 애심 씨가 맞은 것보다, 내가 맞은 것보다 신발이 다 떨어진 게 너무 안타깝고 슬펐다. 나는 어쩌자고 이 귀한 걸 들고 휘둘렀을까. 차라리 가방을 잡을걸. 그게 안 되면 다른 여자 신발이라도 벗겨 낼걸.

신발을 끌어안고 멍하니 앉아 있는데 연락을 받고 온 고 사장이 기가 막힌다는 얼굴로 우리를 보았다. 저만치 앞에선 셋이나 되는 그의 변호사들이 경찰과 진지하게 대화를 나누는 중이었다. 죄스러움에 가슴이 더 무너져 내렸다.

"죄, 죄송해요."

기어 들어가는 목소리로 싹싹 빌며 나는 울상을 지었다.

누구 덕분에 내가 정말 별꼴을 다 겪는다. 내 생전 경찰서 한번 와 본 적이 없었는데 오늘날 패싸움 끝에 이렇게 끌려올 줄을 누가 알았나. 마찬가지로 보호자 혹은 변호사들에게 둘러싸여 있는 총무 일행을 슬쩍 보다 나는 또 좌절하고 말았다. 사고를 쳐도 하필이면 이런 대형 사고를 칠 게 뭐였단 말인가. 고개가 팍 꺾였다. 정말이지 고 사장 얼굴을 볼 면목이 없었다. 이대로 당장 쫓겨난다고 해도 할 말이 없을 지경이었다.

"후후, 패싸움이라. 육 대 이로?"

고 사장이 실실 웃는 얼굴로 말문을 열었다.

분명히 한숨이 쏟아질 만한 상황인데도 불구하고 너무 어이기 없어서인지 그는 웃을 듯 말 듯 자꾸 볼을 실룩이고 있었다.

"그래도 우리가 이겼어요."

"하하하!"

철딱서니 없는 애심 씨의 말에 고 사장이 기어이 웃음을 터뜨렸다. 아, 지금이 웃을 때요? 큰소리로 하하 웃는 그의 얼굴을 우리는 뜨악한 눈으로 바라보았다.

혹시 너무 기가 막혀서 실성한 거요, 고 사장?

쪽수에 밀려 죽도록 맞았는데도 이겼다는 소리를 하는 애심 씨나 그 소리를 듣고 신나게 웃는 고 사장이나 이 순간만큼은 이해불가의 난해한 사람들처럼 느껴졌다.

"크흠, 아무튼 난 아무 죄 없어요. 내 경력에 흠집만 나 봐라. 가만 안 둘 거야."

그 말을 끝으로 그녀가 먼저 발딱 일어섰다.

레스토랑에서부터 같이 있던 남자가 그녀의 볼에 얼음팩을 척 붙여 주는 것이 보였다. 그 모습을 멍하니 보고 있는데 하하 웃던 고 사장이 돌연 그 큰 품을 펼쳐 나를 꼭 끌어안았다.

응? 갑자기 왜 이러는 거요, 고 사장? 애심 씨가 지켜보고 있소만.

놀라서 뻣뻣하게 굳으려 순간 그가 다정하게 머리칼을 다듬어 주고 손을 잡아 일으켜 세웠다.

"가자."

"네, 네. 근데 신발이……."

그때까지 꼭 끌어안고 있던 신발을 보여 주며 나는 울상을 지었다.

다 떨어진 신발 대신 나는 식당에서 빌려 준 슬리퍼를 신고 있었다. 슬프고 쪽팔리고 거기에 아프기까지 해서 당장이라도 눈물이 쏟아질 것만 같았다.

"할머님이 사 주신 건데 이렇게 되어 버렸어요."

"괜찮아. 다음엔 내가 사 줄게."

그러니까 그런 이야기가 아니라니까요, 고 사장.

할머님이 그러셨어요. 다른 건 다 사 줘도 신발은 사 주는 게 아니라고. 왜냐면 신고 도망갈 테니까. 고 사장이 내게 신발을 사 주면 나는 그걸 신고 떠나게 될 거란 말이오.

"아니에요. 안 사 주셔도 돼요. 신발은 또 있으니까."

나는 정중하게 사양했다.

떠날 땐 떠나더라도 고 사장이 사 준 신발을 신고 떠나고 싶지는 않았다. 어차피 내겐 어울리지 않을 테니 그에게로 올 때 신었던 내 허름한 신발이면 충분했다. 눈물을 삼키며 나는 애써 미소 지었다.

"아, 배고프다."

"음?"

"오랜만에 힘을 써서 그런지 배고파요. 얼른 집에 가서 밥 먹어야겠어요."

"쿡, 하하하!"

엉뚱한 말에 그가 또 크게 웃었다. 호탕한 웃음소리가 밤하늘 위로 쩌렁쩌렁 울려 퍼졌다. 그 소리가 듣기 좋아 나도 바보처럼 히죽 웃었다. 그러나 맹세하건대 웃은 건 딱 그때

뿐이었다. 왜냐면 영광의 상처를 안고 돌아온 밤은 내 생각보다 훨씬 더 고단하고 길었기 때문이다.

"아! 아야야!"

아이고, 내 허리 다리 어깨야.

욱신욱신 아파 오는 어깨를 잡고 나는 잠시 몸을 떨었다. 맞을 땐 모르겠더니 하룻밤 자고 나자 마침내 죽음 같은 통증이 몰려오면서 온몸이 한꺼번에 비명을 내지르기 시작했다. 안 그러려고 해도 움직일 때마다 신음이 절로 터져 나왔다.

밥 먹고 자리에 눕기가 무섭게 시작된 통증과 열은 그 밤 내내 쉬지 않고 나를 괴롭혔다. 얼마나 아프고 힘들었는지 병원으로 가자는 고 사장의 제안을 거절한 게 미치도록 후회스러울 지경이었다. 결국 보다 못한 고 사장이 의사를 불렀기에 망정이지 안 그랬으면 정말로 송장이 된 채 아침을 맞이했을지도 몰랐다.

아무튼, 아침까지도 밥이고 뭐고 할 만한 상태가 아니었다.

그래서 유감스럽지만 동서와 아가씨에게도 오지 말라는 전화를 할 수밖에 없었다.

"쯧쯧, 맞아도 오지게 맞았네."

"하여간에 새댁 덕분에 우리가 별꼴을 다 봐."

오후가 되어서야 간신히 부엌으로 나온 내게 아주머니들이 끌끌 혀를 찼다. 안타까워서가 아니라 어처구니가 없다는 얼굴이었다. 하긴, 이 순해 빠진 얼굴로 설마하니 패싸움까지 하고 다닐 줄은 꿈에도 몰랐겠지. 얼굴이며 팔다리 가득 멍이 지고 입술까지 찢어진 내 몰골을 보고 그녀들이 무슨 생각을 할지는 뻔했다.

뭣도 모르고 덤볐다가 옴팍 깨졌구나. 꼴좋구나.

처음엔 부부 싸움을 하다가 맞은 줄 알고 조금 놀라더니 반나절도 지나지 않아 사건의 전모를 파악한 그녀들은 나 몰래 조금 웃었다. 넓은 줄 알았더니 이 동네도 상당히 좁아서 지난 저녁때의 그 사건이 고작 반나절 만에 벌써 다 소문이 났단다. 그 바람에 더 의기소침해진 나는 하루 종일 고 사장의 눈치를 보고 있었다.

"죄송한데 그릇 좀 꺼내 주세요."

실실 웃는 아주머니들의 반응을 싹 무시하고 머리 위에 있는 찬장을 가리켰다.

어깨가 너무 결려서 팔이 머리 위로 올라가지 않았기 때문에 도움이 필요했다. 부엌일을 하루 종일 아주머니들에게만 맡겨 두었던 탓에 고 사장이 제대로 먹질 못하고 있었다. 아주머니들의 말에 의하면 점심도 반 그릇을 비울까 말까 했단다.

그 소릴 들으니 당장 마음이 불편해져서 나는 아픈 몸을 이끌고 기어이 기어 나와 육개장을 끓여 댔다. 원래는 서방님이 주문한 거라 재료를 준비해 둔 거였는데. 어쨌거나 밤새 끓여 둔 육수랑 미리 찢어 둔 고기가 있어 일이 그리 많지는 않았다.

"그러고 보니 새댁도 참 간이 커."

반짝반짝 닦아 둔 유기그릇을 꺼내 늘어놓으며 그녀들이 다시 잔소리를 덧붙였다.

"세상에, 어떻게 거기서 덤빌 생각을 한 거야?"

"사장님 얼굴을 생각해서라도 좀 참지."

"이제 무슨 면목으로 가족들 얼굴을 볼 거야. 실장님이나 아가씨가 그 소식을 들으면 얼마나 기가 막힐까. 남인 나도 창피해 죽겠는데 그분들은 오죽하겠어?"

옆구리에 칼을 쑤셔 넣은들 이보다 더 섬뜩할까.

한 마디 한 마디가 얼마나 양심을 자극하던지 들을 때마다 간이 움찔거리는 느낌마저 들었다. 그런데 사람 심리라는 게 참 묘해서 전처럼 무섭게까지 느껴지지는 않는 거다. 이렇게 죽도록 맞아도 봤는데 그깟 말 몇 마디쯤이야 무슨 대수랴 싶기도 하고 어차피 이렇게 된 거 할 말은 하고 사는 게 편하다는 생각이 불쑥 올라오기도 했다.

막말로, 내가 눈치를 보는 건 고 사장이지 도우미 아주머니들이 아니지 않나. 처음부터 나를 마음에 들어 하지 않았던 사람들이라 배려한답시고 스스로 조심해 왔지만 이제는 거의 한계에 부딪친 느낌이었다. 그날 모임에서 총무와 그 여자들이 떠들던 말이 마음에 걸리기도 하고.

'들으니까, 집에서도 각방을 쓴다면서요?'

'누가 그러더라고요. 영락없는 부엌데기 신세라고요.'

'그 과수원도 원래 자기네 것이 아니었다대. 소작 같은 거였지. 결혼하면서 그 남자가 사 줬다고 하더라고. 빚도 다 갚아 주고. 완전 신데렐라가 탄생했다니까.'

같이 사는 사람이 아니고서는 절대 모를 이야기들을 그녀들은 어떻게 그렇게 자세하게 알고 있었던 것일까? 동서나 아가씨도 모르는 일을 그들이 알고 있었다는 사실 때문에 나는 거의 공황에 빠질 지경이었다. 그런 사실을 알고 또 여기저기 퍼뜨릴 수 있는 사람에 대해 생각하게 된 건 지극히 당연한 수순이었다. 물론, 용의자는 두 아주머니들이었다.

남은 사람은 나랑 고 사장뿐인데 나는 처음부터 말하고 다닐 입장이 아니었고 고 사장은 지나치게 입이 무거웠다. 꼭 그게 아니더라도 그가 떠들고 다닐 만한 이야기 자체가 못 되기도 했지만 말이다. 막말로, 자신의 오점을 떠벌리고 다니는 바보가 세상에 어디 있느냐 말이다.

아무튼 우리 둘이 아니라면 남은 건 아주머니들뿐이었기 때문에 나는 그녀들의 짓이라고 거의 확신을 하고 있었다. 실수든 혹은 의도한 일이든 간에 그녀들이 집안의 일을 밖으로 퍼다 나른 게 틀림없었다. 적어도 내 직감은 그렇게 말하고 있었다.

"작은 사모님이 어느 댁 따님이신지 알지? 모르긴 해도 사돈 회장님도 많이 곤란하실 거야."

"아휴, 그걸 말이라고 해? 나 같으면 부끄러워서라도 얼굴을 못 들고 다녀. 안 그래도 벌써 여기저기서 말들이 많더라고. 하필이면 쟁쟁한 집안사람들을 때려 놔서 수습하려면 보통 일이 아닐 거라고 말이야."

"아이고, 망신스럽다 진짜. 이러다 우리까지 덤터기를 쓰는 것 아냐?"

근데 이 아주머니들이 진짜 해 보자는 건가.

귀가 따갑게 쏟아지는 잔소리에 신경이 점점 더 예민하게 곤두섰다. 칭찬을 해 달라는 건 아니지만 그래도 아픈 사람에게 위로 정도는 해 줄 수 있는 것 아닌가 말이다. 그동안 참아 온 감정들이 바닥에서부터 들들 끓었다.

탕!

참다못해 유기그릇을 소리 나게 내려놓으며 나는 입술을 질끈 깨물었다. 그러곤 한바탕 심호흡을 한 다음 깜짝 놀라 바라보는 두 아주머니들을 향해 조근조근 말했다.

"덤터기 쓸까 봐 그렇게 걱정되시면 지금이라도 그만두시지 그러세요?"

"뭐, 뭐어?"

"새댁, 지금 그거 우리한테 한 말이야?"

그럼 나한테 한 말이겠소?

당혹스러움을 넘어 금방 얼굴색까지 달라지는 두 사람을 보니 공연히 내질렀나 하는 후회가 잠깐 들었지만 이미 늦었다. 내 입엔 이미 초강력 모터가 달린 후였다.

"이 집에서 일하는 게 부끄럽고 창피하고 이제는 덤터기 쓸까 봐 걱정된다고 해서 하는 말이에요. 그만두시면 그런 걱정은 하지 않아도 되니까."

"기가 막혀서. 쟤, 쟤가 하는 말 들었어요, 형님? 우리 보고 관두라는 거죠, 지금?"

"굴러 온 돌이 박힌 돌 빼낸다더니. 이봐, 새댁. 우리가 지금 이 집에서 일하는 게 부끄럽다는 소리를 하는 것 같아? 멍청한 거야 아니면 못 알아듣는 척을 하는 거야?"

팔까지 둥둥 걷어붙이고 그녀들이 기세등등하게 소리쳤다. 기세가 하도 당당해서 말문이 막혔다.

"우리 이 집에서 새댁보다 더 오래 일했어. 정이 들어도 새댁보다 더 정이 들었다고. 다 사장님 위하고 이 집안을 위해서 하는 소리라는 거 몰라?"

"내 말이 그 말이라니까. 그만큼 눈치를 줬으면 알아서 기어야지. 어린 게 어디서 감히 그만두라 마라야?"

"쥐뿔 없는 집에서 왔으면 행동이라도 바르게 해야지. 패싸움하고 경찰서까지 드나드는 주제에 뻔뻔하게 뭐가 어쩌고 어째?"

"실장님이랑 아가씨가 이 사실을 알면 가만 계실 것 같아?

아가씨는 몰라도 실장님은 사장님 명예에 털끝만큼이라도 흠이 나는 거 끔찍하게 싫어하는 분이셔. 모르긴 해도 우리가 나가기 전에 네가 먼저 쫓겨날걸?"

높이 찢어지는 목소리가 쨍하고 귀를 찔렀다.

아니, 무슨 위하는 일이 그렇게도 단순하고 쿨한 건가. 나를 구박하는 일이 곧 집안을 위하고 고 사장을 위하는 일이 된다는 걸 나는 오늘 처음 알았다. 내가 이 집안에 어울리지 않는 사람이라거나 고 사장하고는 더더욱 맞지 않는 사람이라는 걸 나도 잘 알고 있다. 알지만 그건 고 사장과 나의 문제이지 그녀들이 참견할 일이 아니지 않나.

누군들 좋아서 여기서 이러고 있다디?

억울하고 분하고 급기야는 화도 났다.

"그래서요?"

금방이라도 눈물이 쏟아질 것만 같아 나는 아픈 눈에 더 힘을 주고 버렸다. 안 그래도 맞아서 부어터진 눈가가 아프게 당겼다.

"그래서 저더러 뭘 어쩌라는 말씀이신데요?"

"하, 이게 아직도 정신을 못 차렸네."

"제정신이면 이러고 버티고 있겠어? 이 집을 위해서 스스로 나가야겠다는 생각 같은 건 아예 안 하고 있는 모양인데?"

쫓아내기 전에 알아서 나가라.

안 그래도 언제 쫓겨날지 몰라 전전긍긍하고 사는 내게 결정적인 한 방이 날아들었다. 명치가 꽉 막히는 것 같아 나도 모르게 숨을 크게 들이켰다. 그때였다.

"무슨 일입니까?"

서재에 박혀 있는 줄 알았던 고 사장이 불쑥 주방으로 들어섰다.

밖에서 다 들은 건지 어쩐 건지 표정이 조금 싸늘했다. 그런 모습을 보자 갑자기 눈가가 더 뜨거워졌다. 두려움 대신 분노가 울컥 올라왔다.

생각해 보면 이게 다 고 사장 때문이었다.

내가 졸지에 애물단지 신세가 된 것도, 구박덩이가 된 것도, 패싸움을 하고 경찰서를 드나들게 된 것도 다 고 사장 때문이다. 그가 아니었다면, 애초에 선을 보고 멍청한 거래를 제안하지 않았다면, 그 망할 모임에 나가게 하지 않았다면 윤미숙이 이렇게 맞고 다니지 않았을 터였다.

언제 쫓겨날지 몰라 전전긍긍하거나 아주머니들에게 노골적인 왕따를 당하지도 않았을 거다. 나쁜 건 윤미숙이 아니라 고 사장이었다. 내가 그냥 멍청한 것뿐이라면 그는 정말로 나쁜 놈이었다. 내가 그의 애물단지라면 그는 나의 불행이었다. 그가 미워 죽을 것 같았다.

"흑!"

가까스로 참고 있던 눈물이 뺨을 타고 후두둑 떨어졌다.

고 사장의 눈이 둥그렇게 커졌다. 그러거나 말거나 나는 입술을 꼭 깨물고 말없이 돌아섰다. 그런 나를 그가 황급히 잡아챘다.

"왜……."

툭!

될 대로 되라는 심정으로 팔을 잡는 그의 손을 홱 뿌리쳤다. 그러자 잠깐 당황하는 듯싶더니 그가 다시 어깨를 잡아왔다. 그것도 뿌리치고 나는 무작정 돌아서려고 들었다. 고 사장이고 뭐고 다 필요 없었다. 이 망할 집구석을 당장 뛰쳐나가지 않으면 내가 돌아 버릴 것 같았다.

"윤미숙!"

"놔! 놓으란 말이야!"

몸부림치며 나는 그를 밀어냈다. 그러나 나를 놓아 버리는 대신 그는 억센 힘으로 더 바짝 끌어당겨 품에 가두어 버렸다. 완벽하게 갇혀 버렸다. 그를 밀어낼 수도 없고 그로부터 벗어날 수도 없었다. 그에 나는 엉엉 울면서 미친 듯이 그의 어깨를 때렸던 것이다.

이 나쁜 남자 때문에 나는 화가 났다.

억울하고 분하고 짜증도 났다. 나를 이 자리에 데려다 놓은 그가 밉고 멍청해 빠진 나도 미웠다. 온몸이 아파 죽겠는데 그보다 마음이 더 아파서 죽을 것만 같았다. 너무 아파서 숨이 막혔다. 꽉 움켜쥔 주먹에 점점 더 힘이 들어갔다.

"괜찮아, 괜찮아."

얼마나 난리를 쳐 댔을까.

때리다 지쳐 어깨에 코를 박고 엉엉 울기만 하자 그가 조심스럽게 등을 쓸어 주었다. 혹 떨어질세라 두 팔로 더 꽉 끌어안으며 귓가에 입술을 대고 부드럽게 속삭였다.

"다 괜찮으니까 진정해. 제발 울지 마. 응?"

대체 괜찮은 게 뭔가.

처지도 엉망이고 꼴도 엉망인데 뭐가 괜찮다는 것인가. 우는 것 말고 내가 할 수 있는 게 뭐가 있다고 울지도 말라는 건가.

위로가 되기는커녕 눈물만 더 쏟아졌다. 서러움이 북받쳐 울음이 자꾸만 안으로 꺼져 들었다.

"무슨 일인데 이렇게 시끄러워?"

눈도 못 뜨고 엉엉 우는데 문득 퉁명스러운 목소리 하나가 옆통수를 후려쳤다. 서방님이었다. 오늘은 오지 말라고 동서에게 분명히 전화를 했는데 어떻게? 마치 하늘에서 뚝 떨어진 것처럼 예고도 없이 불쑥 나타난 서방님이 장내를 한 번 휘둘러 보더니 마침내 정신없이 울고 있는 나를 발견하고는 눈썹을 확 모았다.

날카로운 시선이 짧은 순간 얼굴을 샅샅이 훑고 지나가는 것이 느껴졌다. 눈이 커졌다 작아지고 고집스러운 입매가 꽉 다물리는 것이 흐릿하게 보였다. 그가 나직하게 으르렁거렸다.

"뭡니까?"

"쉿! 조용히 해."

"형!"

"조용, 이야기는 나중에 해. 의사 먼저 불러. 네 형수 탈진했어."

울다 지쳐 축 늘어지는 나를 불끈 들어 안으면서 고 사장이 명령하듯 말했다. 그 낮게 가라앉은 목소리를 들으며 나는 스르르 눈을 감았다. 힘 하나 들어가지 않는 몸처럼 정신도 놓아 버리고 싶은데 머릿속이 이상하리만치 선명했다.

두근 두근 두근.

쿵쿵거리는 고 사장의 심장 소리가 가까이에서 들렸다.

"그래서? 댁들 일하기 편하게 하자고 우리 형 이혼이라도 시키란 말이야? 건방지게 어디서 감히 이래라저래라야!"

"어머, 형님!"

멀리서 소리치는 목소리와 빠르게 다가오는 누군가의 발소리, 비명 소리가 한데 뒤섞여 귓가에서 웅웅거렸다. 주위는 어수선한데 몸은 구름 위로 올라간 듯 둥둥 떠올랐다. 그러다 어느 순간 수명이 다된 형광등처럼 눈앞이 몇 번이나 깜빡깜빡하더니 곧 까맣게 물들었다.

'그렇게 안 봤는데 미숙 씨도 재주가 참 좋아.'

'고 사장님 선본 거 사실이라면서?'

'아무리 그래도 그렇지 왜 하필 저런 여자야? 아무 연고도

없는 시골 과수원집 딸이라면서요?'

'촌것 주제에 건방지잖아. 이 기회에 잘 밟아 놔야 앞으로도 말을 잘 들을 것 아니겠어?

'누가 그러더라고요. 영락없는 부엌데기 신세라고요.'

'멍청하게 당하고나 있는 주제에.'

'제정신이면 이러고 버티고 있겠어? 이 집을 위해서 스스로 나가야겠다는 생각 같은 건 아예 안 하고 있는 모양인데?'

"헉!"

쟁쟁 울리는 목소리에 파묻혀 질식하려는 순간 눈이 확 벌어졌다. 방 안이 환했다. 쏟아져 들어오는 빛에 미처 적응하지 못한 눈이 한동안 어지럽게 방황하다가 급한 대로 제자리를 잡으려는 듯 좌우로 가늘게 흔들렸다.

"형님!"

제멋대로 굴절을 일으키는 시야 속으로 동그란 얼굴이 하나 나타났다. 까만 것은 머리칼, 하얀 것은 얼굴, 그리고 깜빡거리는 붉은 것은 입술이었다. 누구냐, 너.

"정신이 드세요? 저 알아보시겠어요?"

"으음."

"잠깐만요. 아주버님 모셔 올게요."

조금 더 선명해진 누군가의 뒤꽁무니가 방 밖으로 허둥지둥 사라졌다. 그녀가 사라지고 나서야 나는 그 뿌연 덩어리가 동서라는 사실을 알아차렸다. 정신을 잃기 직전에 본 서방님의 얼굴도 스쳐 갔다. 오지 말라고 했었는데 두 사람 다 왔나 보다. 그럼 아가씨도 왔을까?

소문을 듣고 왔나 보다.

벌써 파다하게 퍼졌다니 그냥 있을 수 없었을 것이다. 와중에도 그런 생각이 먼저 떠오르자 속이 더 허탈하게 가라앉았다.

'여기까지인가? 이제 윤미숙은 제대로 내쫓기게 되는 거야?'

최악의 상황이 눈앞으로 다가왔다는 사실을 인정하는 순간 이상하게도 마음이 확 편해졌다.

나는 지쳐 버렸다. 더 이상은 아무것도 하고 싶지 않았다. 그러니까, 까짓 될 대로 되어 버려라. 쫓겨나면 도로 시골로 가면 그만이었다. 아버지께는 죄송하지만 그래도 여기에 있는 것보다 마음은 편할 테니까. 적어도 이렇게 말라죽지는 않을 테니까.

돈은 평생 일해서 갚으면 된다.

어차피 내려가면 따로 할 일도 없을 테니 일손이나 거들면서 시간을 보내자. 그렇게 하는 게 나도 좋고 고 사장에게도 좋을 것이었다. 아무리 생각해도 나는 이곳에 어울리지 않는 사람이었다. 고 사장도 애초부터 별 마음 없이 결혼을 결정했으니 순순히 놓아줄 것이다.

그렇게 마음을 먹자 마지막 남은 두려움까지 완전히 사라져 버렸다. 나는 뭐가 무서워서 그동안 그렇게 벌벌 떨면서 살아온 것일까. 바보처럼 설설 기니까 이 사람도 저 사람도 죄다 나를 만만하게 본 것이 아닌가 말이다. 전혀 그럴 필요가 없었는데!

"바보같이!"

스스로에게 화가 나 반쯤은 악을 쓰며 나는 꾸물꾸물 자리에서 몸을 일으켰다. 그러면서 보니 팔뚝에 바늘이 꽂혀 있고 스탠드엔 몇 개나 되는 수액이 매달려 있었다. 고 사장이 또 의사를 불렀나 보다. 시골에서 근 삼십 년을 살았어도 딱히 병원 갈 일이 없었는데 여기선 툭하면 의사가 다녀갔다. 내가 정말로 골병이 들고 있는 게 틀림없는 거다.

이게 다 고 사장 때문이었다.

망할 고 사장. 아직도 가시지 않은 분노가 남아 머릿속을 온통 헝클어 놓았다. 그러고 보니 나 그 사람을 때렸다. 주먹까지 쥐고 미친 듯이 패다가 내가 먼저 나가떨어졌지만 어쨌거나 맞은 자리엔 분명히 멍이 들었을 것이다.

꼴좋다. 영광의 상처인 줄이나 알아라. 바보 같은 고 사장, 양재호는 잘만 피하던데 왜 피하지도 않고 버텨서 상처를 만드나.

나는 가차 없이 그를 비웃었다.

그때였다.

"일어났나?"

막 팔뚝의 주사 바늘을 뽑으려는데 방문이 벌컥 열리면서 고 사장이 들어왔다.

결 좋은 검은 머리칼이 조금 헝클어진 채 그가 반듯한 자세로 문 앞에 서 있었다. 나한테 맞아서 그런 건지 아니면 그냥 잠을 못 자서 그런 건지 꽤 피곤해 보이는 얼굴이었다. 까칠하고 약간은 지쳐 보이기도 했다. 그런 얼굴로 그는 입을 굳게 다물고 나를 가만히 바라보았다. 눈을 마주치고 얼굴을 훑고 주사 바늘이 꽂혀 있는 팔뚝도 보았다. 갑자기 심장이 덜컥 내려앉았다.

막 바늘을 뽑으려던 손이 나도 모르게 움찔거렸다.

나는 아직 화가 났는데 그래서 때리기도 했는데 이상하게 또 두려움이 몰려왔다. 이판사판이라고, 다 필요 없다고 모질게 마음을 먹었음에도 불구하고 묵직하게 다가오는 그의 시선 하나에 어깨가 떨렸다. 겁이 났다.

왜 이러는 거냐, 윤미숙.

뭐가 무서워서 또 움츠러드는 것이냐. 왜 그의 시선이 신경 쓰이고 까칠한 얼굴이 안타까운 거냐. 혼란이 찾아왔다. 한 대 맞는 것보다 그의 입에서 한숨이 새어 나올까 봐 더 두려운 이 마음의 정체가 나를 떨게 만들고 있었다.

다행히 고 사장은 한숨을 쉬지 않았다.

멍청하다고 한 대 치지도 않았고 비난 어린 시선을 보내지도 않았다. 그저 아무 말 없이 다가와 멍하니 앉은 나를 가만히 보듬어 안았을 뿐이다. 큰 손으로 조심스럽게 머리를 쓰다듬고 등을 쓸어 주었다. 그제야 떨림이 잦아들면서 희미한 안도감이 찾아왔다. 가만가만히 어루만지는 손의 온기가 온통 헝클어진 마음을 다독이는 것만 같아 다시 왈칵 눈물이 쏟아질 것 같았다.

이상하다, 이상하다 했더니 정말로 이상해졌는지 기분이 자꾸만 오락가락했다.

울고 싶은 기분에 시달리며 나는 그를 슬쩍 밀어냈다. 그러곤 말없이 그의 셔츠 단추를 풀었다. 갑작스러운 행동에 그가 흠칫 놀라는 것이 느껴졌지만 아랑곳하지 않았다. 조심스럽게 셔츠를 젖히자 벌겋게 부은 자리가 나타났다. 나한테 맞은 양쪽 어깨 아래가 살짝 부어 있었다. 붉은 기가 상당해서 붓기가 가라앉으면 제대로 멍이 잡힐 것 같았다.

정말 미치겠다. 윤미숙, 이 망할 년.

"흑!"

그것을 본 순간 예기치 않게 다시 눈물이 쏟아졌다.

윤미숙이 미쳤었다. 눈이 돌아서 이 성스러운 옥체에 주먹질을 해 버리고 말았다. 양재호는 잘도 피해 다녔는데 이 멍청한 남자가 피하지도 않고, 신음 한마디 내뱉지도 않고 그냥 맞아서 나를 더 미치게 한다. 그냥 내버려 두지 왜 잡아서 쓸데없는 상처를 만드느냐 말이다. 누구 마음대로!

"괜찮아."

엉엉 우는 나를 그가 다시 부둥켜안고 살살 달래기 시작했다.

"다 괜찮으니까 울지 마. 이렇게 자꾸 울면 또 쓰러져."

지금 내가 쓰러지는 게 문제요?

고 사장, 당신 때문에 내가 정말 미치겠소.

세상을 다 가진 사람인 줄 알았는데 사실은 이 공룡 같은 집처럼 텅 빈 사람이라서 화가 나고, 차고 냉정한 사람인 줄 알았는데 알고 보니 너무 다정해서 눈물이 났다. 이 사람을 어쩌면 좋을까. 언제나 혼자에 풀이랑 나물도 구분 못하고 내가 한 밥이 아니면 잘 먹지도 않는 이 바보 같은 사람을 대체 어쩌면 좋으냐 말이다.

아니, 아니다.

고 사장은 잘못이 없다. 사실은 나 때문에 화가 난 거다. 잘하고 싶었는데 뭐 하나 제대로 한 일이 없어서 나는 정말 화가 났다. 은혜를 갚기는커녕 사방에서 욕만 먹고, 이 사람에게는 짐만 되고 있다는 사실이 너무 미안해서 하릴없이 눈물만 쏟아졌다.

아주머니들의 말이 맞았다.

고 사장을 위해서라도 나는 진즉에 떠났어야 했다. 내가 뭐라고 여기서 버티고 있었던 것일까. 나는 그에게 도움이 안 되는 존재였다. 마지막까지 부인하고 싶었던 사실을 인정하자 속이 더 환해지면서 몸이 안으로 오그라들었다. 그래서 나는 아이처럼 잔뜩 웅크린 채 고 사장의 품에 안겨 조금 더 울었다.

"언니이!"

간신히 울음을 그쳐 가는데 다시 문이 벌컥 열렸다.

남산 만하게 부른 배를 앞세우고 아가씨가 뛰어 들어왔다. 내 예상처럼 죄다 몰려왔나 보다.

"세상에! 언니, 얼굴이……."

보기 좋게 살이 오른 그녀의 얼굴에 경악이 떠오르면서 동시에 눈이 등잔만큼이나 커졌다. 딸꾹. 급하게 삼킨 울음의 여운이 남아 나는 말도 못하고 딸꾹질만 했다. 나도 안다, 지금 내 얼굴이 얼마나 험한지. 맞은 자리는 멍이 들었고 찢어진 입술엔 딱지가 앉았고 눈은 하도 울어서 퉁퉁 부어터졌을 것이다.

부끄럽고 민망해서 한 손으로 슬쩍 눈을 가렸다.

동서가 애 낳으라고 사다 준 보약을 먹고 그동안 살이 조금 올랐기에 망정이지 안 그랬으면 더 보기가 흉했을 거라고 생각하니 그 쓴 걸 다 먹었다는 사실이 자랑스럽게 여겨지려고 했다.

"누가 그랬어요? 어떤 나쁜 년들이 언니 얼굴을 이렇게 만들어 놓은 거예요? 애심이가 싸워서 이겼다고 해서 그런 줄 알았는데 사실은 아닌 거죠?"

"아니에요. 우리가 이, 이긴 거 맞아요."

그래도 터진 입이라고 나는 조심스럽게 역성을 들고 나섰다.

패싸움이 결코 자랑스러운 일은 아닐진대 죽어도 졌다는 소리를 하기 싫은 이 기분은 뭔가. 오기인가 아니면 반항인가. 고 사장의 눈치를 보면서도 나는 기어이 한마디 더 덧붙였다.

"이 대 육이었다고요. 상대는 다 울면서 갔어요."

"진짜로요?"

"그렇다니까요."

미숙아, 그 입 좀 닥쳐라잉.

고 사장이 지켜보고 계신다.

"그래도 난 신경질 나 죽겠어요. 언니 얼굴이 이 지경인 줄은 몰랐단 말이에요. 내가 가서 이단 옆차기를 날려 줬어야 하는데!"

"이 계집애야, 그게 임산부가 할 소리냐?"

"흥! 화가 나서 그러지. 작은오빠는 화도 안 나니?"

"누가 그렇대?"

불쑥 나타난 서방님이 팔짱을 척 끼고 퉁명스럽게 쏘아붙였다. 그러더니 나를 슬쩍 보고는 무섭게 이를 으득 깨무는 거다. 반사적으로 움찔 놀라 나는 또 고 사장의 품 안으로 숨어 버렸다. 양쪽에서 푹 하는 긴 한숨 소리가 이어졌다. 내 꼴을 보고 서방님이랑 고 사장이 약속이나 한 듯 동시에 한숨을 내쉰 것이다. 아오, 진짜 나는 왜 이렇게 고씨 집안의 남자들이 무서운 거지?

"후우, 밥이나 먹자."

"오빠는 지금 밥 먹자는 소리가 나오니?"

"배고픈 걸 어쩌라고. 요즘 들어 먹는 일이 아주 전쟁 같아져서 짜증 나 죽겠으니까 너까지 거들지 마."

"왜? 애기 때문에?"

"아니."

"그럼?"

"이상하게 뭘 먹어도 맛있지가 않아."

"어? 오빠도 그래? 사실은 나도 그래. 새언니가 챙겨 주는 거 받아먹다가 다른 거 먹으면 뭔가가 좀 빠진 느낌이 들고 그러는 거 있지?"

밥 소리에 귀가 쫑긋 곤두섰다.

서방님은 몰라도 아가씨는 아기를 가져서 잘 먹어야 하는데 혹시 계속 못 먹고 있었던 게 아닌지 걱정이 되기 시작했다. 그래서 눈만 삐죽 내놓고 나는 작은 목소리로 말했다.

"저기이, 육개장 끓여 놨는데요."

"어머, 언니가 직접요?"

"네, 점심을 거의 못 드셨다고 해서……."

고 사장이 끼니를 부실하게 먹고 있다고 해서 내가 아픈 몸을 이끌고 나가 밥을 한 것 아니오.

"같이 가서 식사하세요."

슬그머니 고 사장을 떠밀었다.

나 때문에 아침부터 먹는 게 시원찮았으니 그도 배가 고플 터였다. 가뜩이나 피곤한데 나한테 맞기까지 했기 때문에 잘 먹어서 원기를 보충해야 한다. 병 주고 약 주자는 심보는 아니지만 어쨌거나 쓰러져도 밥해 놓고 쓰러지길 잘했다는 생각이 들었다.

"얼른 가세요."

"같이 가."

"전 생각 없어요."

"……."

"새, 생각이 없는데."

아니, 왜 또 그리 진하게 바라보고 그러시오.

방금 전까지는 그냥 한없이 부드럽고 다정하기만 하더니 밥 안 먹는다는 소리를 하기가 무섭게 고 사장은 입을 꾹 다 물어 버렸다. 안 그래도 날카로운 눈에 힘까지 꽉 주고 노려 보는 모습에서 감히 거부할 수 없는 독재자의 카리스마가 풀 풀 풍겨 나오고 있었다.

"생각해 보니 배가 조금 고픈 것 같기도 하고요."

언제나 그렇지만 이번에도 나는 별 힘을 쓰지 못하고 냉큼 두 손을 들고 말았다.

"움직이기 힘들면 이리로 가져올까?"

"아, 아니에요! 갈게요."

버텨 봤자 고집을 버릴 고 사장이 아니라는 사실을 나는 이미 본능으로 깨닫고 있었다. 거기에 역시 배가 고픈 것도 사실이긴 했다. 생각해 보니 내가 앓는답시고 하루 종일 굶었지 뭔가. 정신도 못 차리고 앓는 바람에 미음 구경도 못하고 생으로 굶으며 온종일을 끙끙거렸었다. 미련하게시리.

그나저나 이제 무슨 낯으로 아주머니들의 얼굴을 봐야 하나.

그 모진 소리를 들어 놓고 다시 멀쩡한 얼굴로 그녀들을 마주할 자신이 없었다. 속상하고 화도 났다. 아무리 옳은 소리였다고 할지라도 나는 아직 그녀들이 미웠다. 그리고 그건 그녀들 또한 마찬가지일 터였다.

"가자."

복잡한 내 속도 몰라주고 고 사장이 손을 잡아끌었다.

다 들어간 수액의 주사 바늘을 뽑아 주고 손수 부축도 해 주었지만 하나도 안 고마웠다. 고 사장은 때때로 아무 사심 없는 행동으로 나를 밀어 죽이는 사람이었다. 얼마나 사심이 없는지 발을 질질 끄는 나를 불끈 들어 안아 식탁까지 옮겨 놓을 정도였다.

아오, 진짜 쪽팔리게 왜 이러시오, 고 사장.

서방님이랑 동서랑 아가씨가 다 보고 있는데 그러고 싶소? 내가 애요?

난데없는 고 사장의 행동 때문에 안 그래도 엉망인 얼굴이 더 뜨겁게 달아올랐다. 아아, 열이 오른다.

"형님, 이거 진짜 맛있어요."

벌써 맛을 보았는지 동서가 국자를 들고 감동 어린 얼굴로 외쳤다. 그런데 아주머니들이 보이지 않았다. 퇴근했나? 화가 나서 밥도 안 차려 주고 그냥 가 버렸나 싶어 다시 울컥 분노가 끓어오르는 동시에 민망함이 몰려왔다. 부엌일을 제대로 해 본 적도 없는 동서와 배가 남산만 한 아가씨가 일을 한답시고 주방에서 오락가락하는 모습이 심하게 눈에 밟혔다.

"제, 제가 할게요."

윤미숙의 팔자는 기구하여 가만히 앉아서 밥을 얻어먹어 본 역사가 없다.

"앉아."

안절부절못하다 벌떡 일어나자 고 사장이 기다렸다는 듯 도로 끌어다 앉혔다.

"아직 일할 정도는 아니야. 잘 먹고 쉬게 하라고 했어."

"누, 누가요?"

"의사가."

"이제 괜찮은데요?"

"……."

아니, 생각해 보니 조금 안 괜찮은 듯도 합니다만.

현기증이 나려고 했다. 얻어맞고 울어서가 아니라 고 사장이 하도 찐하게 노려보아서. 또 뿔이 났나 싶어 나는 입을 다

물고 그가 시키는 대로 조심스럽게 자리에 앉았다. 그제야 그의 눈매가 부드럽게 풀렸다.

혹시 지금 나를 조련하고 있는 거요, 고 사장?

"걱정 마세요, 형님. 저도 이 정도는 할 줄 알아요. 반찬도 다 있고 그냥 차리기만 하면 되는 걸요?"

"그, 그래도 미안해서……."

"미안하긴 뭐가요? 다 형님이 하신 건데요. 저야말로 만날 받아먹기만 해서 죄송하죠. 헤헤."

내 앞에 밥을 놓아 주며 동서가 혀를 쏙 내밀고 웃었다. 그러더니 서방님 눈치를 슬쩍 살핀 후 애교스럽게 덧붙였다.

"그래서 말인데요, 형님. 저 이따가 김치 좀 싸 가면 안 될까요? 엄마가 한 것보다 형님 김치가 더 맛있는 것 같아요."

"아! 나도 나도! 언니, 나도요. 전 김치랑 오이장아찌도 싸 주세요. 깻잎도요. 네?"

"어? 장아찌랑 깻잎도 있어요? 그럼 저 그것도 가져갈래요. 네? 형니임!"

밥 먹으러 온 게 아니라 김치를 얻으러 온 것인가.

두 여인네가 발까지 동동 구르며 내게 매달렸다. 다행히 김치도 장아찌도 깻잎도 아직은 넉넉하게 남아 있어서 별문제는 없지만 이런 일이 처음이다 보니 나는 조금 당황했다.

"싸, 싸 드릴게요. 아직 많으니까."

"진짜요? 아, 신난다!"

"감사해요, 형님. 덕분에 이제 한동안은 걱정 없어요. 요즘 은준 씨가 안 하던 반찬 투정을 해서 얼마나 힘들었다고요."

"내가 언제?"

"어머, 이이 좀 봐. 그럼 아침에 게장도 물린다는 소리는 왜 했대요? 전엔 군소리 없이 잘만 먹던 사람이."

"크흠, 여름이잖아. 여름에 게장은 좀 그래."

"피이, 거짓말. 형님이 해 주신 거 먹고 싶어서 일부러 육개장까지 주문했으면서."

끄덕.

밥을 씹으면서 나는 무심히 고개를 끄덕였다. 덕분에 내가 이 여름에 땀을 흘려 가며 고기 삶아 육수 우려서 장국을 끓여 낸 것이 아닌가. 반쯤은 고 사장 먹이려고 한 짓이지만 확실히 힘이 들긴 했었다.

"전 괜찮으니까 더 드시고 싶은 거 있으시면 말씀하세요. 더위에 지치면 안 좋으니까."

말을 들어서 그런가?

서방님의 얼굴이 조금 축난 듯 보여 표고버섯 볶은 것을 그 앞으로 슬쩍 밀어 주면서 말했다.

"중복이 머지않았는데 다음엔 삼계탕을 할까요?"

"뭐, 나쁘진 않지만…… 그전에 몸이나 제대로 추스르고 나서 얘기하란 말입니다."

"네에."

여전히 퉁명스럽지만 싫지 않은 기색으로 그가 고개를 끄덕였다.

다행이다. 사실은, 싸우고 경찰서까지 갔다 왔다고 되게 혼날 줄 알았었다. 아주머니들이랑 그러는 것까지 들켜 놔서 그 불같은 성미에 당장 독설을 퍼부은 다음 내쫓을까 봐 무서워 속으로 혼자 떨었었다. 그런데 난리를 치는 대신 걱정을 해 주다니. 하도 뜻밖이라 무언가 횡재를 한 기분마저 들었다.

"저기요, 언니."

고 사장이 밥 위에 얹어 주는 고기를 받아먹고 있는데 문득 아가씨가 말했다.

"아주머니들 이제 안 나온대요."

"네? 왜, 왜요?"

"언니 울려 놨다고 작은 오빠가 막 성질 부려서 내쫓아 버렸어요. 다른 아주머니들 구하셔야 돼요."

고 사장이 아니라 서방님이 그런 거 분명하오?

눈이 휘둥그레져서 나도 모르게 서방님을 바라보았다. 그러자 당황했는지 그는 밥을 먹다 말고 아가씨를 홱 노려보는 거다.

"누가 그래서 그랬대? 건방지게 우리 집 일을 함부로 밖으로 흘리고 다녀서 그런 거야, 인마!"

"으응, 그래서 '우리 형수'한테 또 무슨 소릴 했냐고 개 잡

듯이 잡은 거구나."

"……."

"오빠 때문에 그 아주머니들 다시는 이 동네에서 일 못하
겠지? 불쌍하다."

불쌍하다.

그냥 보기만 해도 무서운데 험한 소리까지 들었을 그녀들
에게 나는 진심으로 동정을 보냈다. 우리 서방님이 인상도
상당하지만 성질은 더 상당하고 그중에서도 제일 상당한 건
바로 입이었다. 말버릇이 얼마나 사악한지 열 받으면 위아래
는 물론이고 좌우도 없어졌다.

자기보다 훨씬 나이도 많은 아주머니들에게 '건방지게'라
고 당당하게 떠드는 것 좀 보라. 할머님이 살아 계실 땐 '할
매, 노망났어?' 라거나 '죽으려면 곱게 죽어.' 라는 말도 했었
다. 심지어 회장님이신 자기 장인어른에게도 '마음에 안 드
는 영감.' 이라고 부른다. 그런 점에서 볼 때 그가 우리 고 사
장한테 만큼은 나름대로 점잖게 구는 것이 얼마나 다행인지
몰랐다.

"그래도 감사해요. 신경 써 주셔서."

공연히 밥알을 뒤적이면서 나는 거의 기어 들어가는 목소
리로 말했다. 서방님 성격에 그만큼 신경을 써 주었다는 사
실이 어쩐지 믿어지지 않았다. 그러고 보니 전에 길을 잃었
을 때도 비록 난리를 치긴 했지만 그 추위를 뚫고 직접 찾으

러 나와 주지 않았던가. 고 실장도 사실은 고 사장만큼이나 다정한 거다.

"좋은 분이세요, 서방님은."

"푸웁!"

"꺄악! 오빠!"

감동에 젖어 내가 한마디 하기가 무섭게 서방님이 마치 경기하듯 입에 든 것을 죄다 뿜어냈다. 맞은편에 앉아 있던 아가씨가 그것을 몽땅 뒤집어썼다. 그리고 그는 미친 듯이 기침을 하기 시작한 거다. 동서가 놀라서 물을 찾으며 동동거리고 아가씨는 뭐가 우스운지 밥알 범벅이 된 채로 또 깔깔 웃었다. 당황한 나는 영문을 몰라 그저 멍하니 고 사장을 바라보았다. 고 사장이 말했다.

"애가 워낙 부끄러움을 잘 타."

그, 그건 아닌 것 같소만.

진지하게 하는 말에 나는 놀라는 동시에 조금 걱정스러워졌다. 그가 동생에 대해 정말로 그렇게 믿고 있으면 어쩌나 싶어서.

그래도 고개를 젓는 대신 나는 그의 수저 위에 오이 무침한 조각을 올려 주었다. 더위 먹은 데엔 역시 오이보다 좋은 게 없기 때문이었다. 내가 텃밭에서 직접 길러 낸 거라 맛도 좋고.

"파 자꾸 골라내지 마세요. 제가 키운 거란 말이에요."

"으음."

보통 때보다 훨씬 늦은 시간이었지만 저녁 식사는 그렇게 요란하고 조금은 즐겁게 이어졌다. 파를 싫어하는 고 사장도 챙기고 부끄럼 많은 서방님도 챙기고 아가씨랑 뭐든 냠냠 잘 먹는 동서까지 챙겨 가면서 보통 때보다 훨씬 더 편안한 마음으로 나는 그 시간을 즐겼다. 이러고 있으니까 마치 내가 진짜 가족이 된 느낌이었다.

모두가 내 편을 들어 주고 있다는 생각에 마음속 깊은 곳까지 따뜻함이 스며들었다. 이보다 더 나쁜 짓을 했어도, 더 큰 망신을 산다고 해도 언제까지나 내 편일 것만 같아서 행복했다. 가슴이 뻐근해질 정도로 가득 차는 뿌듯함에 전율하며 나는 고 사장을 바라보았다.

싫어하는 파를 군말 없이 먹어 주는 모습이 눈에 밟혔다.

크고 다정한 사람이었다. 사실은 아주 많이 좋은 사람이다. 인정하는 순간, 속에서부터 뜨거운 것이 울컥 올라왔다. 분노도 아니고 슬픔도 아니고 쓸쓸함도 아니었다. 그런데도 나는 울고 싶어졌다. 아무 이유 없이 울고 싶은 이 기분의 정체는 뭘까. 내가 때려 놓고도 안타깝고 밥 못 먹었을까 봐 걱정되고 무서우면서도 안심이 되는 이 복잡한 마음은 대체 무엇을 증명하려는 것일까.

갑자기 두려워지기 시작했다.

이 마음의 정체를 내가 깨닫게 될까 봐 무서웠다. 아니, 내가 알고 고 사장이 알게 될까 봐 무섭다.

"……!"

문득 등줄기를 타고 소름이 올라왔다.

'설마, 설마……!'

갑작스러운 깨달음 앞에서 나는 정신이 혼미해질 정도로 충격을 받고 말았다. 쿵! 어딘가에서 격한 충격음이 들려왔다.

아아, 윤미숙은 미쳤다.

미친 게 틀림없었다. 알지 못하는 사이 나는 고 사장을 바라보고 있었나 보다. 나조차도 깨닫지 못한 사이 어느새 그렇게 되어 버렸나 보다. 처음 할머님을 뵙고 돌아가던 그 기차 안에서 절대로, 무슨 일이 있어도 사랑하는 것만은 하지 말자고 다짐했었는데 언제부터인가 그렇게 되어 버렸다.

소름이 끼쳤다.

왜 하필이면 지금이란 말인가. 아주 모르고 살던지, 깨달으려면 조금만 더 일찍 깨닫지 왜 하필이면 오늘인가. 내가 그에게 맞지 않는 사람이라는 사실을 완전히 인정해 버린 오늘! 뒷수습에 골몰해야 하는 일거리만 잔뜩 만들어 주고, 애꿎은 소문 때문에 온갖 망신이란 망신은 다 당하게 된 마당에 이제 와 나는 언제나 나를 흔드는 두려움의 정체를 깨달았다.

'미치겠다. 무슨 팔자가 이래.'

모두가 돌아간 뒤, 어두운 거실 창가에 앉아 나는 혼자 절망에 빠졌다.

뒤늦은 깨달음은 더 이상 문제가 아니었다. 그러고도 고 사장에게, 그에게 마음 한 조각 내보일 수 없는 이 상황이 나는 더 기막혔다. 그는 할머님 때문에 억지 결혼을 했고 나는 그에게 2억이나 되는 빚이 있었다. 그것으로 게임은 끝났다. 패싸움으로 경찰서도 다녀오고 망신스런 소문거리도 잔뜩 만들어 놓았는데 그 모든 것들과는 아무 상관없이 그저 '당신이 좋다.'고 말할 만큼 윤미숙은 뻔뻔하지 못했다.

내가 여기서 미친 척 사랑이라도 고백한다면 가뜩이나 심신이 피곤한 고 사장은 뭐라고 생각할까.

'돈 떼어먹으려고 별짓을 다하는구나.', '사고 치고 나서 웬 헛소리냐.', 혹은 '너무 고마우니 이혼하자.' 정도가 될까? 아니, 아니다. 그는 다정한 사람이니까 독설 대신 나를 불쌍하게 여겨 그 길로 조용히 떠나보내는 길을 선택할 것이다. 겉으로 보기에도 그것이 가장 좋아 보였다.

'제정신이면 이러고 버티고 있겠어? 이 집을 위해서 스스로 나가야겠다는 생각 같은 건 아예 안 하고 있는 모양인데?'

아주머니들의 말이 다시 귓가에서 생생하게 맴을 돌았다.

현기증이 몰려왔다. 이제 나는 어떻게 해야 하나. 컴컴한 정원을 바라보며 미친 듯이 고민하다 힘없이 방으로 돌아왔다. 이렇게 죽도록 고민한다고 해서 애초에 해결될 문제가 아니었다.

아무리 발버둥을 친다고 해도 예정된 결말은 결국 보란 듯이 찾아올 것이다. 그에겐 진짜 가족이 필요했다. 그리고 내게 필요한 건…… 일자리였다. 단지 그뿐이었다.

"그래도 나는 괜찮다."

얇은 이불을 깔고 반듯하게 누워 나는 멍하니 중얼거렸다.

딱딱한 바닥에 멍든 자리가 닿아 곳곳이 욱신거렸지만 좋은 주사를 맞은 덕분에 그런대로 참을 만했다.

"윤미숙은 괜찮다. 진짜 진짜 괜찮다. 천하무적이다."

아버지는 잘 계시려나. 미주랑 미준이는 어떻게 지내고 있을까. 사과는 잘 자라고 있나.

"보고 싶다."

갑자기 집에 가고 싶어졌다.

아버지 진지를 해 드리고 사과밭에도 나가 보고 엄마 산소에도 가 보고 싶었다. 같은 서울에 있는 미주랑 미준이도 보고 싶었다.

"뭐가 그렇게 바빠서 연락도 안 한데."

그동안 잠잠하던 향수병이 이제야 도지는 건가 싶어 나는 조금 허탈하게 웃었다. 그때였다. 아무런 기척도 없이 방문이 스르르 열렸다. 훌쩍 열리는 방문 사이로 누런 불빛이 새어 들어왔다. 고 사장이 유령처럼 문 앞에 서 있었다. 그를 발견한 순간 언제 아팠냐 싶게 몸이 벌떡 움직였다.

"왜, 왜요? 뭐 필요한 거 있으세요?"

"……."

"차라도 한 잔 만들어 드릴까요?"

이불을 걷고 주섬주섬 일어서면서 물었지만 그는 말이 없었다.

그저 뻐딱하게 문 앞에 기대서서 나를 가만히 바라보기만 했다. 방은 어둡고 밖에서 새어 들어오는 빛 때문에 나는 그의 표정을 자세히 볼 수 없었다. 그저 그가 입을 꾹 다문 채 나를 하염없이 바라보고 있다는 사실만 알아챘을 뿐이었다.

그 짧은 침묵이 너무 무거워서 나는 조금 떨었다.

전에 없던 일이라 긴장이 되기도 하고 또 무슨 말을 할지 몰라 두렵기도 했다. 미처 거두어들이지 못한 긴 생각의 여운 탓인지 조금 불길한 느낌이 들기도 하고. 그러다 마침내 적막을 뚫고 그가 말했다.

"언제까지 여기서 지낼 생각이지?"

10.
모퉁이를 돌 때

Oh, no, no, no. Don't speak.

—브로드웨이를 쏴라(Bullets Over Broadway, 1994) 中—

영은이의 목소리는 밝았다.

—아무 걱정 마. 다 잘되어 가고 있어. 벌써 원금의 열 배 가까이 불렸다고.

"저, 정말?"

—그렇다니까. 사나흘만 더 기다려 봐. 상승세를 탈 때 내 놓으면 그 정도는 챙길 수 있을 거야.

"세상에, 진짜구나!"

—그렇다니까. 아무튼 며칠 뒤에 연락할게.

"응응! 고마워. 진짜 진짜 고마워, 영은아. 네가 내 생명의
은인이야."

아, 감동의 쓰나미가 몰려온다.

눈물까지 글썽이며 나는 전화기에 대고 연방 고개를 꾸벅
거렸다. 너무 기뻐서 발이 허공으로 둥둥 떠오르는 것 같았
다. 그래, 내가 이렇게 될 줄 알았었다. 처음부터 다 잘될 거
라는 사실을 딱 알아봤다. 뉴스를 보다가 경기가 안 좋다는
둥 폭락장이 이어졌다는 둥 할 때마다 가끔 걱정이 되기도
했었지만 그거야말로 다 쓸데없는 짓이었다.

"만세, 만세, 만세에!"

사람이 득실거리는 길바닥을 폴짝폴짝 뛰어다니며 나는
기세 좋게 만세까지 불러 재꼈다. 좋아서 죽을 것 같았다. 지
난봄에 전 재산이나 다름없는 돈을 영은이에게 맡길 때만 해
도 이렇게 큰 행운이 굴러 들어올 거라는 생각은 전혀 못했
었는데 결국은 내게도 이런 일이 생기다니.

"아, 이거 설마 꿈은 아니겠지?"

아무래도 믿어지지 않아 혼자서 볼까지 꼬집어 봤다.

당연히 아팠다. 그러니까 이건 절대로 꿈이 아닌 것이다.
그 사실에 다시 광적으로 기뻐하며 나는 마치 춤을 추듯이
길 한복판을 뛰어다녔다. 지나가는 사람들이 흘끔거리다 귓
가에 손가락을 대고 빙빙 돌리는 것이 보였지만 그딴 건 아
무래도 상관이 없었다.

"음하하하! 좋아. 이제 그 돈이 들어오면 아버지한테 맡겨 놓은 거랑 합해서 고 사장에게 딱 갚아 주자. 나머지는 일해서 금방 마련할 수 있어. 까짓, 그 정도는 껌이야."

나는 갑자기 자신만만해졌다.

금방이라도 고 사장의 돈을 다 갚아 주고 그럴듯한 집도 구할 수 있을 것만 같았다. 그렇게만 된다면 큰소리 땅땅 쳐 주고 나와야지. 미주랑 미준이를 불러다 같이 살아야지. 밥도 해 먹이고 때로는 맛있는 것도 먹으러 다녀야지. 야무지게 이것저것 다해야지.

"돈 버는 거 별것 아니었구나."

얼마나 날뛰었을까.

꿈에 부풀어 한참이나 방방 뛰다 나는 쓰러지듯 벤치에 주저앉았다. 한낮의 열기로 인해 후끈하게 달아오른 딱딱한 의자에 온몸을 맡긴 채 가만히 호흡을 골랐다.

'언제까지 여기서 지낼 생각이지?'

그 말을 듣는 순간 나는 바보가 되어 버렸다.

아무것도 없는 빙판 위에 서서 눈보라를 맞고 있는 것처럼 끔찍한 추위가 몰려왔다. 적도 한가운데에서 지글지글 내리쬐는 햇볕을 받고 있는 것과 같은 잔인한 열기도 느꼈다. 냉기와 열기를 오가느라 한동안은 무슨 말은 들은 것인지 쉽게 이해하지 못했었다. 눈도 멀고 귀도 멀었다. 다정한 품에서 내쫓긴 충격은 그렇게도 컸다.

'저, 저기 그게…… 안 그래도 계속 생각은 하고 있었는데…… 제, 제가 아직 준비가 안 되었어요. 정말 죄송하지만 며, 며칠만 기다려 주시면 안 될까요?'

내가 할 수 있는 말은 그게 전부였다.

"바보같이!"

윤미숙은 왜 그렇게 설설 기었던가.

입이 열 개라도 할 말 없는 입장이긴 했지만 그래도 조금 더 당당하게 말 할 수도 있었는데 말이다. 그렇게 울 듯한 얼굴로 애원하지 않아도 되는 일이었는데.

"방만 구하면 바로 나간다고 큰소리쳐 줄걸."

보란 듯이 큰소리를 쳐 줬다면 내가 이렇게 허탈하지도 않았을 것이다. 고 사장도 그렇다. 어차피 내쫓을 생각이었다면 할머님이 돌아가셨을 때 미리 예고라도 해 주지. 이 더운 때에 어떻게 그렇게 불쑥 밖으로 내몰 수가 있는가. 땡볕에 타 죽으라는 소린가?

"인정머리 없게."

다정한 사람이라고 했던 거 다 취소다.

할머님이 돌아가신 이후 아무 말 없이 자그마치 10개월이

나 기다려 줬으니 나도 딱히 할 말은 없지만 말이다.

"얼굴이 잘생겨서 봐준다."

쓸쓸한 마음을 달래려 두 팔로 무릎을 끌어안고 나는 멍하니 생각했다.

원래는 시골로 그냥 내려갈 생각이었지만 영은이 덕분에 생각이 바뀌었다. 우선은, 미주가 다니는 대학 근처에 방을 구해 함께 지내면서 일자리를 찾아보는 쪽으로 말이다.

사실, 시골로 내려가는 건 거의 최후의 보루 같은 거였다.

혼자 가면 이혼당하고 왔다고 짜하게 소문이 날 텐데 그러면 정애 할머니나 아버지를 볼 면목도 없어지고 주위의 시선도 만만치 않아서 온갖 눈치는 다 보고 살아야 할 테니까. 더구나 시골이니만큼 적당한 일자리를 구하기도 쉽지 않을 것이다.

"잘된 거야. 빚도 갚아야 하니까 시골보다는 그래도 가까이 있는 게 낫겠지."

한 번이라도 더 고 사장의 얼굴을 보고 싶어서 이러는 게 아니다.

그냥 그렇다는 이야기다. 어차피 같이 살아도 야근에다 출장도 자주 다니고 해서 매일매일 얼굴을 볼 수 있는 것도 아니었다. 이번만 해도 고 사장은 또 일본으로 출장을 떠나 내일 저녁이나 되어야 돌아온다. 그나마 일정이 짧은 편이라 집을 비우는 건 사흘뿐이었지만.

그 덕분에 나는 내일까지 그 공룡처럼 넓은 집을 혼자 독차지하게 생겼다. 아직 도우미 아주머니도 안 구했고 누가 찾아올 예정도 없어서 그야말로 내가 홀딱 벗고 온 집 안을 돌아다녀도 봐줄 사람이 없다는 소리다.

"가만! 이게 웬 횡재지? 아무래도 내가 점점 더 재수가 좋아지고 있나 봐."

갑자기 엔돌핀이 돌기 시작했다.

오호, 이거 봐라? 오늘만큼은 집이 온통 내 차지란 말이지? 방해할 사람은 아무도 없단 말이지?

깨닫는 순간 다리에 불끈 힘이 들어갔다.

방 구한답시고 하루 종일 돌아다닌 덕분에 퉁퉁 부은 발도 어느새 도로 멀쩡해진 것 같았다. 그에 씩씩한 걸음으로 부지런히 걸어 나는 집으로 돌아왔다.

예상대로 텅 빈 집이 나를 기다리고 있었다. 아니, 그래도 혹시 모르는 일이니까. 발꿈치를 들고 종종걸음으로 걸어가고 사장의 방문을 열어 보고 서재를 들여다보고 주방도 한 바퀴 빙 돈 다음 다시 거실로 나왔다. 어디에서도 인기척이라고는 느껴지지 않았다. 역시 완벽하게 비어 있는 것이다.

"만세! 자유다!"

두 팔을 번쩍 들고 팔짝팔짝 뛰면서 나는 소리쳤다.

단 하루뿐이긴 하지만 그래도 모처럼 맞이한 자유가 이렇게 기쁠 수가 없었다.

"좋아, 오늘은 아무것도 하지 않을 거야."

나는 오늘 청소도 하지 않을 것이고 빨래도 안 할 거고 요리도 하지 않을 것이다. 텃밭을 돌보는 일도 하지 않을 테다.

"아, 더워. 일단 선풍기부터 켜 놓고…… 아니지. 이젠 아낄 필요가 없지."

어차피 곧 떠나야 하는 집이렷다.

그동안 혼자 있을 땐 절약한답시고 그냥 선풍기만 켜고 살았지만 이젠 다 필요 없었다. 나는 용감하게 에어컨을 돌렸다. 빵빵하게 돌려 놓은 다음 제일 비싼 유리잔에 시원한 오렌지 주스를 한 잔 따라 들고 해달처럼 푹신한 소파 위에 늘어졌다. TV도 켜 놓고 탁자 위에 발도 척 올려놓았다.

그 자세로 고 사장이 오면 주려고 만들어 놓은 육수를 탈탈 털어 시원한 냉면을 만들어 먹었다.

아가씨가 사다 준 맛있는 과자도 먹고 동서가 사다 놓은 비싼 아이스크림도 먹어치웠다. 아무 일도 하지 않기로 결심했기 때문에 빈 그릇은 그냥 탁자 위에 늘어놓아 버렸다. 하루쯤 설거지를 하지 않는다고 문제가 생기는 것도 아닐 테니까.

"아, 좋다. 진즉에 이렇게 하고 살걸."

인간, 윤미숙.

무슨 영화를 보자고 그동안 그렇게 아등바등 살아왔던가. 아껴 쓰고 덜 먹어 주면 고 사장이 기뻐할 줄 알겠지만 천만의 말씀. 그는 이 여름에 오갈 데 없는(?) 나를 가차 없이 내쫓기로 결정했고 결국 나는 나가야만 한다.

문득 지극정성 다해 온 시간이 아까워지려고 했다.

받은 게 있고 덕분에 누린 것도 많은 입장으로서 이런 모진 마음을 먹어서는 안 되는 일이지만 그래도 한 줄기 원망스러운 마음이 샘솟는 건 어쩔 수 없었다. 처음부터 이렇게 될 줄 알았으면서도 마치 이용당하고 버림받은 것처럼 기분이 한없이 더러웠다.

"그래도 열심히 했는데."

혹시라도 짐이 될까 봐 나는 나름대로 뼈 빠지게 일하면서 살았다.

고 사장이 시키는 일이면 뭐든 열심히 하려고 애썼고 참가하라는 모임에도 따박따박 나갔다. 아가씨랑 서방님 내외한테도 소홀하지 않으려고 얼마나 자주 살폈는지 모른다. 그런 거 그 사람은 하나도 모르겠지? 여자의 일이나 집안일 따위, 그리 중요한 건 아니라고 생각할 테니까.

"……좋아하는데."

두 팔로 다리를 모아 끌어안고 그 위에 턱을 올려놓은 채 나는 멍하니 중얼거렸다.

이제 막 알았는데 고백은커녕 끝까지 접어 두고 떠나야 마음이 얼마나 쓰라린지 몰랐다. 일편단심으로 고 사장을 짝사랑하는 애심 씨를 볼 때마다 혼자 속으로 '파이팅'을 외쳤었는데 사실은 그게 얼마나 위선적인 소리인지도 알았다. 두 사람이 잘되면 정말로 기쁘기라도 할까 봐 그런 짓을 한 건지. 내가 생각해도 나는 참 어이가 없는 여자였다.

"그러니 만날 이 모양이지. 그래, 내쫓길 만도 하다. 억울하긴 개뿔. 고 사장은 지나치게 잘났는데 나는 학벌 안 돼, 집안 안 돼, 영어 안 돼. 모임에서도 왕따고, 집에서도 왕따. 사방이 적이지."

하다하다 이젠 패싸움으로 경찰서를 다니고 도우미 아주머니들과도 싸우고 쫓겨나게 만들었으니 이렇게 쫓겨나도 할 말이 없는 상황이기는 했다. 그렇게 보면 그간 알게 모르게 고 사장이 많이 참아 주고 있었던 것일지도 몰랐다.

"내보낼 날만 이제나 저제나 기다리고 있었을까?"

몇 주만 더 지나면 결혼한 지 꼭 일 년이 된다.

때를 맞춰도 어쩌면 이렇게 잘 맞췄는지 마치 일 년만 채우기를 기다렸던 사람 같다. 할머님이 더 오래 사셨으면 어쩔 뻔했나. 그때도 딱 일 년만 채웠을까. 심술이라는 걸 알면서도 나는 조금 입술을 삐죽였다.

"하긴 서두르긴 해야지. 고 사장도 나이가 있는데 얼른 좋은 여자 만나 진짜 가족을 꾸리고 싶을 테니까."

아기를 안고 어르던 그의 모습을 기억한다.

마치 자신이 아빠라도 된 것처럼 행복하게 웃던 모습이 너무 생생해서 마음이 아플 정도였다. 돌아가신 할머님이 진짜로 바라던 모습도 바로 그것이었을 거다. 처자식 거느리고 알콩달콩 정답게 사는 것. 그는 분명히 좋은 아빠가 될 것이다. 다정한 사람이니까.

"제가 떠나야 하는 거죠, 할머니? 외로운 사람이니까 이제라도 좋은 사람을 만날 수 있게."

나도 아주 바보는 아니라서 그래야 한다는 사실쯤은 벌써 알고 있었다. 알고는 있는데 다만 인정하고 싶지 않았을 뿐이다. 억지떼라도 쓰고 싶은 기분에 이러고 주저앉아 청승을 떠는 것이다.

"괜찮아, 이제 돈이 들어오면 방도 구할 수 있을 테니까. 눈치 보면서 살 필요도 없고 미주도 데리고 살 수 있고. 고사장도 잘됐고 나도 잘됐지 뭘."

언제 뿌리를 내린 건지 알 수 없는, 그를 향한 마음만 제대로 접어 둘 수 있다면.

하지만 이것도 역시 괜찮다. 나는 원래 지조라고는 약에 쓸래도 없고 변덕도 심한 여자니까 금방 또 다른 사람을 마음에 담을 수 있을 것이다. 10년이나 그를 짝사랑하고 있는 애심 씨에 비하면 이 정도는 얘깃거리도 되지 않는걸 뭐.

"후우, 피곤하다. 잠이나 자자."

갑자기 발이 아파 왔다.

하루 종일 길바닥을 헤매고 다녔다는 사실을 이제야 떠올린 사람처럼 나는 조금 끙끙댔다. 여름이지만 뜨거운 물에 몸을 푹 담그고 발마사지라도 해 주면 참 좋을 텐데 여긴 대중목욕탕이 없어서…… 응? 가만! 그러고 보니 이 집엔 대중목욕탕보다 백배나 더 좋은 욕실이 있지 않나? 스파 기능까지 갖춘 대리석 욕조에 향이 좋은 입욕제도 있었다.

고 사장 가족들이 사용하는 큰 욕실이라 한 번도 사용해 본 적은 없었지만 청소하면서 찬찬히 구경해 보기는 했다.

사실, 나는 이제까지 주방 옆에 딸린 샤워실에서 간단하게 샤워만 하고 살았었다. 그것도 따뜻한 물이 잘 나와서 때마다 얼마나 감격했는지 모른다. 근데 고 사장이 사용하는 욕실은 그것과는 아예 비교도 안 될 정도로 넓고 화려했다.

"좋아, 오늘 한번 그 욕조에 몸을 담가 보는 거야. 어차피 고 사장도 없고 집엔 나 혼자인데 누가 보겠어?"

드디어 간덩이가 비대해졌나, 윤미숙?

속옷을 챙겨 들고 나는 겁도 없이 고 사장의 욕실로 들어섰다. 반들반들하게 닦인 욕조 가득 따뜻한 물을 받았다. 거기에 그냥 몸만 담그면 심심할 것 같아서 거품이 잘 난다는 입욕제도 잔뜩 풀었다. 덕분에 욕실 가득 장미향이 진동을 했다.

"끝내준다. 여기에 샴페인이나 와인만 있으면 완전히 드라마 찍는 건데. 아, 아니지. 안 될 게 뭐가 있어?"

각종 술로 가득한 고 사장의 바를 기억해 내고 나는 눈을 빛냈다.

선물로 들어온 것도 있고 술을 좋아하는 서방님이 부러 가져다 놓은 것도 있었다. 그렇게 모인 것이 벌써 수십 병이었다. 가만 보니까 와인부터 위스키까지 없는 것이 없었다. 그런 바에서 고 사장은 가끔 서방님이랑 같이 마시거나 때로는 혼자 가볍게 한잔하곤 했다.

"나도 술 좀 할 줄 아는데."

아까워서 그런지 나한테는 절대 안 권하더라.

내가 이래 봬도 소주 반병을 비우는 여자다. 아직 위스키는 안 마셔 봤지만 와인까지는 까딱없었다.

"좋아, 와인을 따자."

어차피 폼을 잡기로 한 것 이참에 끝장을 보기로 했다.

나는 이번에도 제일 비싼 와인 잔을 꺼낸 다음 바를 뒤져 제법 값나가 보이는 병을 골라잡았다. 기다랗고 심플한 병에 황금색 라벨이 붙었고 술은 맑은 황금빛이 돌았다. 근데 이거 와인인지 위스키인지 구분이 안 간다.

"비싼 술을 봤어야 알지. 암튼, 샤또 어쩌고 하는 거 보니까 프랑스산인 건 확실해. 내가 헛공부를 하지는 않았어."

와중에도 혹시 술이 없어진 걸 눈치채면서 어쩌나 싶어 잠깐 걱정을 해 봤지만 말 그대로 잠깐뿐이었다. 이 많은 병중에 하나 없어졌다고 좀스럽게 굴 고 사장이 아니었다. 그리하여 용감하게 한 병을 통째로 따가지고 욕실로 향한 것이다.

옷을 훌딱 벗고 하얀 거품이 한가득 뒤덮인 욕조에 몸을 담갔다. 그리고 언젠가 드라마에서 본 것처럼 폼 나게 와인을 한 잔 따라가지고 가볍게 음미해 보았다. 꿀처럼 달달한 것이 부드럽게 목을 넘어간다.

"음, 맛있네. 역시 과일주인가? 나도 사과주는 잘 담그는데."

수확기가 되면 과수원은 온통 사과 천지가 된다.

그중에서 좋은 놈은 도매시장에 팔고 조금 못난 것들은 사과잼이랑 음료를 만드는 공장에 떨이로 넘긴다. 그러면 남는 건 벌레 먹어 못 쓰게 된 것들 뿐인데 우리 남매는 그걸 먹고 자랐다. 어지간하면 버리지 않고 죄다 가져다 가족들이 먹고 그러고도 남으면 내가 직접 잼도 만들고 술도 담고 그랬었다.

작년에 담가 놓은 사과주가 집에 아직 한두 병은 남았을 것이다.

사과가 워낙 달고 맛있어서 내가 담근 술에서도 꿀처럼 농익은 사과 맛이 났다. 고 사장도 맛보면 참 좋아할 텐데 말이다.

"맛도 좋고 건강에도 좋고. 아, 달다. 음, 이러고 있으니까 꼭 공주님이 된 거 같다."

와인을 홀짝홀짝 마시며 나는 한껏 분위기를 즐겼다.

간신히 멍이 빠진 뺨마다 풍성하게 부푼 거품도 발라보고 발마사지도 하고 스파도 즐겼다. 이런 호사를 언제 또 누려 보나 싶어 손가락이 퉁퉁 불어 터질 때까지 즐기다 와인 한 병을 다 비우고서야 간신히 욕조를 떠났다.

하도 오랜만에 욕조에 몸을 담갔더니 때도 밀고 싶어졌지만 간신히 참았다. 피로가 풀리는 건지 몸이 노곤해져서 당장은 그냥 눕고 싶은 생각밖에 들지 않았기 때문이다. 근데 왜 이렇게 기분이 둥둥 뜨지?

"히히히."

몸은 물먹은 솜처럼 늘어지는데 기분은 하늘을 날고 있었다.

너무 높이 올라가서 나도 모르게 자꾸 웃음이 쏟아질 정도였다. 그에 아무 이유 없이 히죽히죽 웃으며 나는 간신히 속옷을 꿰어 입었다.

"어? 이게 왜 여기 와 있지? 잘못 들고 왔나?"

동서가 결혼 선물로 가져다 준 야한 잠옷이 속옷 사이에 얌전히 끼어 있었다. 어차피 입을 일이 없어 옷장 구석에 처박아 놓고는 그대로 잊고 있었는데 서두르다 어떻게 같이 집어 왔나 보다. 근데 다시 봐도 참 야하다. 하늘하늘하고 속이 다 보이는 것이 어찌 보면 망사보다 더 야한 것도 같았다. 이런 걸 동서는 어떻게 살 생각을 다했을까? 민망하지도 않았나?

"……입어 볼까?"

내가 야한 생각을 해서 이러는 게 절대 아니다.

그냥 두자니 옷이 좀 아깝고 동서의 성의도 있고 또 어차 피 볼 사람도 없어서 그러는 거다. 모처럼 거품 목욕까지 했 으니까 이 정도는 즐겨 줘도 되지 않을까나? 회심의 미소를 지으며 나는 도로 속옷을 벗고 그 하늘하늘한 잠옷을 꿰어 입었다. 얇고 부드러운 천이 피부에 착 달라붙는 것이 느껴 졌다.

"오, 섹시한 윤미숙."

생각보다 깊게 파인 라인을 따라 가슴골이 훤히 다 보였 다.

사실은, 지나치게 얇고 속이 다 보이는 재질이라 아예 가 슴이 다 보였다. 레이스가 달리긴 했지만 아무 소용없었다. 팬티를 입었기에 망정이지 그것까지 벗었으면 아랫도리도 다 보였을 게 틀림없었다.

"우후후후, 예쁜 내 가슴. 음, 좀 작은가? 에이, 살이 빠져 서 그래. 밥 잘 먹으면 다시 커질 거야. 그치? 너 커질 거지? 꼭 커져야 돼. 응? 히히히."

아, 왜 이렇게 자꾸 웃음이 나오지.

너무 피곤해서 그런지 다리가 자꾸 휘청거렸다.

"자야지."

방에 가서 누워야 하는데 오늘따라 참 멀게 느껴졌다.

걷고는 있는 것 같은데 아직 욕실도 다 못 벗어났다. 그러게 아담하게 지었으면 좀 좋아? 혼자 쓸 거면서 무슨 욕실을 이렇게 넓게 만들었나. 한탄을 하고 고 사장에게 바보라고 욕도 하다가 보니 마침내 넓은 침대가 눈에 들어왔다. 태평양처럼 넓은 침대와 뽀얗게 깔린 이불을 보기가 무섭게 불쑥 딴생각이 들었다.

"여기서 잘까? 끄윽, 어차피 고 사장도 없는데."

맞다, 고 사장이 없다.

고 사장이 없으니 침대쯤은 내가 차지해도 아무도 나무랄 사람이 없었다. 그에 나는 또 히히 웃으면서 꾸물꾸물 침대 위로 기어 올라갔다. 말 안 듣는 팔다리를 제멋대로 늘어놓고 이불 위에 길게 뻗어 버렸다. 천장이 회전목마처럼 빙글빙글 돌고 있었다.

"물속에 너무 오래 있었어. 그런 거야."

간만의 목욕이라고 뜨거운 물속에 너무 오래 있었더니 속까지 다 후끈거렸다. 뺨이 불타는 것 같고 숨을 내쉴 때마다 달달하고 뜨거운 김이 올라왔다. 눈앞이 어질어질했다.

"아, 더워."

에어컨을 켜 놓은 보람도 없이 이게 웬 재앙인가.

이불을 덮을 생각도 못하고 속에서부터 치미는 열기 때문에 몇 번인가 꿈틀거리다 나는 그대로 눈을 감았다. 그래도 잠은 금방 쏟아졌다.

딸칵!

음? 무슨 소리지?

묵직하게 내리누르는 피곤과 열기에 절어 꿈속에서마저 완전히 정신을 놓으려는 순간이었다. 문득, 신경을 자극하는 무언가가 느껴졌다. 처음엔, 텅 비어서 유난히 더 고요한 적막을 뚫고 짧은 소음이 이어지는 것 같았다. 단정 지을 순 없지만 문을 여닫는 소리이거나 혹은 누군가의 발소리인 것도 같았는데 그마저도 드문드문 이어지다 어느 순간 뚝 끊겼다.

잠결에도 가만히 귀를 기울이다 나는 깨달았다.

아하, 이건 꿈이구나.

그렇지 않고서야 텅 빈 집에서 웬 발소리인가. 이 집에서 귀신이 나온 적은 아직 없으니 꿈이 틀림없었다. 그때였다.

"으음."

한숨과도 같은 나직한 소리가 문득 발끝을 간질였다.

뚝 끊어진 소음 대신 신경을 자극하는 희미한 기척이 근처에서 느껴지고 있었다. 설마 진짜 귀신인가? 바위처럼 무겁기 이를 데 없는 눈꺼풀이 이 순간만큼은 자연스럽게 벌어졌다. 그러자 뿌옇고 몽롱한 시야 속으로 침대 끄트머리에 우뚝 서 있는 기다란 그림자가 들어왔다.

한참 동안 필사적으로 시선을 모았다.

그리고 마침내 발견한 것은…… 고 사장이었다. 음? 우리 고 사장은 아직 일본에 있는데. 지금쯤 거기서 잘 자고 있을 텐데.

'아, 이건 꿈이었지.'

한없이 몽롱해진 정신으로 다시 발치께를 바라보았다.

넥타이를 반쯤 풀어헤친 고 사장이 나무 막대기처럼 딱딱하게 굳은 채 아직도 거기 서 있었다. 조금 까칠해 보이는 얼굴도, 언제나 넓어 보이는 어깨도 어쩐 일인지 단단하게 굳은 채 움직이지 않았다. 움직이는 것은 바르르 떨리는 눈꺼풀과 굳게 다물린 입술 아래의 목울대뿐이었다.

그 상태로 가만히 서서 그는 나를 뚫어져라 바라보고 있었다.

안 그래도 더워 죽겠는데 타는 듯 뜨거운 시선이 발끝을 떠나 종아리를 더듬고 허벅지를 지나 가슴께까지 올라왔다. 사뭇 음탕한 시선이었다.

'그런데 내 꿈에 왜 고 사장이 나오지?'

쇄골을 지나기가 무섭게 허겁지겁 눈을 맞춰 오는 그의 시선을 느끼며 나는 멍하니 생각했다.

'내가 오늘 고 사장을 너무 열심히 생각했나? 아니면 야한 잠옷을 입어서?'

어느 쪽이든 결과는 그리 나쁘지 않았다.

사실은, 하루 종일 고 사장이 보고 싶었더랬다. 전엔 안 그랬는데 이번엔 그랬다. 좋아하니까 그리고 곧 떠나야 하니까.

그래서 하는 말인데요, 고 사장. 비록 꿈이지만 나랑 야한 짓 좀 하지 않을래요? 내가 이래 봬도 오늘은 거품 목욕도 하고 야한 잠옷도 있었소이다마는.

생각해 놓고도 어쩐지 남우세스러워 나는 그를 향해 히죽 웃었다. 거의 동시에 그의 목울대가 크게 꿈틀거리는 것이 보였다.

"뭐, 뭐하는 거지?"

고 사장이 말을 더듬었다.

그는 어쩐지 조금 당황한 것처럼 보였다. 오호, 고 사장도 얼굴을 붉힐 줄 아는구나. 신기하다. 현실에서는 한 번도 본 적이 없는 모습이라 신선하다 못해 조금 귀엽게까지 보이려고 했다.

"……결정을 내린 건가?"

홀린 듯 천천히 다가오면서 그가 물었다.

"이러는 건 역시 그런 뜻이겠지?"

그런 뜻?

무슨 말인지 모르겠다. 다만 유혹하는 거냐고 묻는 거라면…… 맞다. 비루하지만, 나는 지금 고 사장을 유혹하는 중이었다. 저 잘난 고 사장이 윤미숙에게 반해 홀딱 넘어오는 모습이 보고 싶었다. 현실에서는 불가능하지만 이건 꿈이니까 그런 일쯤은 얼마든지 가능할 게 아닌가.

대답 대신 나는 또 히죽 웃으면서 모로 돌아누워 베개에 얼굴을 묻었다. 딱히 의도를 한 건 아니었는데 아슬아슬하게 걸려 있던 어깨 끈이 스르르 내려갔다. 그 자세로 한쪽 손을 들어 옆의 텅 빈 베개를 토닥토닥 두드려 보였다. 슬쩍 눈웃음도 쳤다. 넘어와라, 넘어와라. 주문을 걸었다. '흐흡' 하고 크게 들이쉬는 그의 숨소리가 희미하게 다가왔다 사라졌다.

"으음. 좋지 않아, 나를 지나치게 자극하는 건."

앓듯이 얘기하며 그가 스르르 넥타이를 풀어 던졌다.

"넌 가만히 있어도 언제나 나를 달아오르게 하니까. 손짓 하나, 눈빛 하나만으로도 나를 죽게 하지."

까만 양복 재킷이 날아갔다. 그리고 거의 동시에 그가 한쪽 무릎을 꿇는가 싶더니 곧 허리를 굽혀 침대 위에 아무렇게나 늘어져 있는 내 발목을 잡았다. 조심스러운 손길이 발가락과 발등을 타고 천천히 발목으로 올라왔다. 꿈인지라 감각이 조금 무디고 멀었지만 그 단순한 접촉만으로도 나는 충분히 자극받았다.

발목 안쪽을 쓰다듬는 그의 은밀한 손길이 너무 야해서.

아아, 발도 이렇게 야한 곳이었구나. 오싹하고 간질거려서 발가락이 자꾸 안으로 오그라들었다.

"처음부터 이렇게 될 줄 알았어."

문득 그가 고개를 들고 나를 보았다.

환희로 물든 입가에 어느새 진한 미소가 맺혀 있었다.

"기뻐!"

사냥에 성공한 포식자처럼 그가 울부짖었다.

발목을 쓰다듬는 부드러운 손길과 달리 똑바로 덮쳐 오는 시선만은 짐승의 그것처럼 거칠고 광폭했다. 본능적으로 몸이 떨렸다. 바르르 떨리는 발목을 그가 꽉 움켜쥐었다. 그러더니 고개를 숙여 복사뼈 아래의 여린 부위에 깊은 입맞춤을 남겼다.

숨결이 먼저 닿고 뒤이어 입술이 내려앉았다.

'아, 뜨거워.'

까칠하고 뜨거운 혀의 감촉이 신경을 자극하자 이번엔 발가락이 미친 듯이 확 펴졌다. 그 강렬한 감각에 놀라 반사적으로 발을 빼려는데 그의 손이 먼저 종아리를 점령하고 꽉 내리눌렀다. 저절로 다리가 벌어졌다.

"가만히."

무릎 안쪽에서 뜨거운 숨결이 느껴졌다. 여린 살을 강하게 빨았다.

"이젠 달아나지 못해."

"헉!"

"내가 잡았어."

흥분에 겨워 목소리가 거칠게 갈라졌다.

거침없는 숨결이 무릎을 지나 빠르게 위로 올라오고 있었다. 종아리에서 맴돌던 손은 어느새 골반 부근을 은근하게 더듬고 있었고, 다른 한 손은 허벅지 안쪽을 리드미컬하게 쓰다듬었다. 노골적인 유혹에 입이 벌어지고 안 그래도 뜨겁던 몸이 순식간에 확 달아올랐다. 들들 끓는 몸이 콩 튀듯 자꾸 튀어 오르려고 한다.

흥분의 강도를 증명하듯 그의 움직임도 매우 다급하고 거칠었다.

걸치고 있는 얇은 천 쪼가리 따위는 벌써 위로 걷혀 올라가 허리께에 길게 걸려 있었다. 그 사실을 깨달은 건 이미 그의 손이 팬티 안으로 들어온 후였다.

"아!"

나도 모르게 손이 나갔다.

마치 폭군처럼 서슴없이 침범한 손을 팬티 위에서 꽉 움켜쥐었다.

이, 이러지 마시오, 고 사장. 아무리 꿈이라지만 내가 이렇게까지 거친 상상을 한 건 아니었소. 나는 그냥 달콤한 키스를 원했을 뿐이란 말이오.

찌이익.

키스 대신 그는 팬티를 찢었다.

거의 동시에 허벅지가 벌어졌다. 그리고 나의 바람대로 그는 진하게 입을 맞추어 주었다. 다만 그 부위가 내가 원하는 곳과 전혀 달랐을 뿐이었다. 사실은 아주 많이 달랐다.

"아훗!"

눈이 튀어나올 것 같았다.

팬티가 가리고 있던 부위를 그는 한동안 뚫어져라 노려보고만 있었다. 그러더니 곧 필사적으로 가리고 있는 내 두 손을 치우고 그 자리에 입술을 가져다 대었다. 순간, 눈동자가 위로 돌아가면서 숨이 멎고 별이 보였다. 숨이 쉬어지지 않을 정도로 강렬한 충격이 몰아쳐왔다.

어째서, 어째서, 어째서!

나는 이런 엄청난 꿈을 꾸고 있는 것인가. 미친 건가 아니면 단순한 욕구불만인 건가. 예고도 없이 언제부터 이렇게 야한 여자였나, 윤미숙은?

말도 못하고 숨도 못 쉬고 자꾸만 뻣뻣하게 굳어 가는 몸을 비틀면서 나는 조금 억울해했다. 맨 정신으로는 한 번도 경험해 보지 않은 일을 꿈속에서 지나치게 생생하게 겪고 있다는 사실이 차마 믿어지지 않았다.

"헉!"

하늘 높은 줄 모르고 점점 더 허공으로 쳐들리던 아랫도리가 갑자기 아래로 푹 꺼졌다.

예민한 속살을 헤치고 굵직한 손가락 하나가 몸속으로 들어오고 있었다. 속살이 안으로 밀려들어오는 듯한 이 끔찍한 느낌은! 또 다른 충격이 몰려오면서 엉덩이가 저절로 뒤로 빠졌다. 숨도 못 쉬고 있던 입에서 이번엔 헛바람이 혹 빠져나갔다. 거부반응이 일어났다. 이건, 이런 건 싫었다.

"음. 미안, 더 못 참겠어."

지금까지 만으로도 충분히 안 참은 것 같은데 뭐가 더 있어서 못 참는단 말이오.

나는 부들부들 떨면서 멍하니 고 사장을 올려다보았다.

벌떡 몸을 일으킨 그가 성급하게 옷을 벗어던지고 있었다. 안 그래도 속은 뜨겁고 아랫배는 미친 듯이 간질거려서 돌겠는데 이제 그의 알몸까지 대하려니 기쁨 대신 현기증이 일었다. 내게 이런 상황은 아직 버거웠다.

"흐읍!"

숨 한 번 제대로 내쉬기도 전에 그가 바지를 벗어던졌다.

앞이 팽팽하게 부푼 팬티도 순식간에 날아갔다. 나는 아직 마음의 준비도 못했는데 완전히 흥분한 그의 남성이 불쑥 눈앞에 나타났다. 꿈이라 그런지 어째 전보다 더 커 보였다. 거기에 붉으죽죽한 것이 마치 살아 있다고 말하듯 나를 보고 꿈틀거리기까지 한다. 애호박, 애호박, 애호박이……!

'깨, 깨야 돼. 미숙아, 얼른 잠에서 깨어나. 죽고 싶지 않으면 당장 눈을 뜨란 말이야!'

도리질을 치면서 나는 엉덩이로 뒷걸음질을 쳤다.

손가락 하나도 끔찍했는데 그보다 더 큰 거시기는 얼마나 더 상당할까. 모르긴 해도 그냥 죽고 싶은 기분이 들 게 틀림없었다. 어쩌면 무지 아플 것도 같았다. 피도 나고 눈물도 날 것이다. 용광용처럼 달아올랐던 열기가 빠르게 식기 시작했다. 고 사장의 거시기에서 차마 눈도 못 떼고 나는 벌벌 떨었다.

"저, 저기 이제 그만 깨고 싶…… 흡!"

아니, 그러니까 여기까지만 하고 그만 깨고 싶다니까!

바라던 키스를 이제야 해 주었지만 하나도 기쁘지 않았다. 잡아먹을 듯이 다가와 성마르게 물어 당기는 입술이, 칭칭 휘감아 오는 혀가 얄밉고 무서웠다. 활짝 벌어진 허벅지 사이에 착 달라붙은 그의 남성은 더 무섭다.

요철처럼 제자리를 찾아 슬슬 비벼 대는 그것이 무슨 흉기처럼 느껴졌다. 방망이처럼 단단하고 부드러운 것이 예민한 속살을 쿡쿡 찔러 댈 때마다 나도 모르게 경기하듯 몸을 떨어 댔다. 날것끼리 맞닿은 느낌이 이렇게 음란하면서도 공포스러울 거라고는 전혀 상상도 하지 못했었는데 무슨 꿈이 이렇게 사람의 혼을 쏙 빼놓는 건지 모르겠다.

아랫도리가 붙고 배가 붙고 가슴이 딱 맞닿았다.

귓불을 씹으며 그는 어느새 내 한쪽 가슴을 주물러 대고 있었다. 식었던 열기가 도로 슬슬 일어나려는 듯 뱃속이 다시 간질거렸다. 그리고 바로 다음 순간, 그의 엉덩이에 불끈 힘이 들어가는가 싶더니 곧 단단한 그의 남성이 본격적으로 내 다리 사이를 노리기 시작했다.

아, 안되는데, 안되는데!

어서 안 된다고 소리쳐. 싫다고 해!

공포에 떨면서 나는 열심히 바르작거렸다. 두 손으로 그의 가슴팍을 밀고 다리를 버둥거렸다. 입구를 쿡쿡 찌르며 집요하게 들이미는 존재를 느끼고 최대한 몸을 비틀었지만 이미 늦었다.

잠시 헤매던 묵직한 것이 제대로 자리를 잡고 불쑥 고개를 넣더니 폭풍 같은 힘과 함께 확 밀고 들어왔다. 낯선 침입에 대한 충격과 이물질에 대한 거부감. 그리고 생살을 가르는 아픔이 비명으로 승화되어 한꺼번에 터져 나왔다.

"아악!"

"윽!"

"으흑!"

아프다. 아파 죽을 것 같았다.

내가 이럴 줄 알았다. 처음부터 이렇게 아플 줄 알아봤었다. 그래서 그만하고 싶었는데! 발버둥도 쳤는데! 상처입어 아픈 속살이 무섭게 조여들고 잔뜩 긴장한 다리가 경련을 일으켰다. 후두둑 눈물이 쏟아졌다.

"이, 이런!"

"아파아."

"설마 처음이었나? 왜 말을…… 윽, 힘을 빼. 괜찮아, 곧 괜찮아질 거야. 그러니까…… 음, 울지 마."

나 못지않게 일그러진 얼굴로 그가 식은땀을 삘삘 흘렸다.

괜찮아지기는 개뿔.

댁이 겪어 봤소? 안 겪어 봤으면 말을 마라.

터진 게 입이라더니 지금 나를 아프게 하고 있는 당사자인 주제에 울지 말란 소리가 잘도 나왔다.

"미안, 내가 너무 흥분했어. 조심할게. 천천히 할게."

어라? 그만두는 게 아니라 계속한다고? 나 아픈데?

나쁜 고 사장. 고 사장이 원래 이렇게 잔인한 사람이 아닌데 꿈속의 그는 전혀 딴판이었다. 아파서 벌벌 떠는 사람을 붙잡고 흥분한 자신의 남성을 끝까지 밀어 넣는 독심의 소유자였다. 자궁 끝까지 닿는 느낌에 뱃속이 아프다 못해 온통 홧홧했다.

의문도 찾아왔다.

이렇게 아픈데 나는 어째서 잠에서 깨지 않는 건가. 꿈속에서는 꼬집어도 아프지 말아야 하는 거 아닌가. 무슨 꿈이 이렇게 생생하게 음란하고 아프단 말인가.

통증과 이상열기에 시달리며 나는 엉엉 울었다.

울면서도 그의 목에 팔을 감고 매달린 건 그렇게 해야 덜 아프다는 사실을 본능적으로 깨달았기 때문이었다. 그러나 그는 다르게 생각했는지 나를 마주 부둥켜 않고 천천히 허리를 퉁겨 올리기 시작했다.

"앗! 흐흑."

느리지만 한 번씩 퉁겨질 때마다 눈물도 같이 쏟아졌다.

뜨끈한 것에 의해 뱃속이 온통 휘저어지는 듯한 고통과 어딘가가 축축하게 젖어 드는 느낌이 동시에 덮쳐와 거의 장이 꼬일 지경이었다. 다정하게 입 맞춰 주고 부드러운 손길로 등을 쓸어 주지 않았다면 정말로 그렇게 되고 말았을 것이었다.

"흑!"

축축이 젖은 얼굴에 그의 입술이 다가왔다.

흠뻑 젖은 눈가를 훔치고 볼을 쓰다듬어 주었다. 그리고 마치 위로하듯 부드럽게 입 맞추며 속삭였다.

"예쁘다."

거짓말.

간신히 멍이 빠진 얼굴로 엉엉 우는 여자가 뭐가 예쁘단 말인가. 아픔에 겨워 미간도 일그러지고 입술은 하도 깨물어서 다 뜯어질 지경일 텐데 그런 얼굴을 보고 예쁘다는 소리를 하는 것을 보면 그도 제정신이 아닌 게 분명했다. 무엇보다 고 사장은 나에게 예쁘다는 소리를 할 사람이 아니었다. 그래서 이것이 현실이 아닌 꿈인 것이다.

"앗!"

"으음, 미안. 조금만 견뎌 줘. 빨리 끝낼게."

"악!"

천천히 한다더니, 예쁘다고 입도 맞춰 주더니 그는 또 돌변했다.

언제 얌전을 떨었냐는 듯 그의 허리가 서서히 속도를 높이기 시작한 것이다. 빠르게 나갔다가 더 강하게 부딪쳐 올 때마다 이가 악물렸다. 살과 살이 맞닿으면서 부딪치는 자리가 화끈거리다 붉게 달아오르고 있었다.

"아아!"

나는 거의 실신 지경에 놓인 채 마구 울부짖었다.

좋아서 죽는다는 말은 다 거짓말이었다. 이런 끔찍한 고통이 좋으면 그건 딱 변태일 테니까. 아랫도리가 깊숙이 파헤쳐지고 송두리째 떨어져 나가는 느낌에 아파하며 나는 이를 악물고 고 사장에게 매달렸다. 그의 움직임이 무섭게 빨라졌다.

"아앗!"

"음!"

낮게 신음하는 소리와 그가 내뿜는 거친 숨소리가 예민한 귓가를 자극하고 있었다. 그러다 어느 순간, 무슨 기계처럼 무섭게 허리를 튕겨 올리던 그가 갑자기 나를 와락 끌어안으면서 가볍게 몸을 떨었다. 동시에 어딘가에서 뿜어져 나온 후끈한 열기가 아랫배에서부터 심장까지 확 퍼져 나갔다.

아픔과는 또 다른 느낌이 뱃속을 점령하고 있었다.

그건 조금쯤 따뜻하고 보다 더 끈끈한 느낌을 주는 것이었다. 비로소 그득하게 채워진 것만 같은 깊은 포만감도 느꼈다. 쾌락과는 전혀 다른 그 감각이 나는 조금 마음에 들었다. 그리고 완벽히 지쳐 버렸다. 그를 죽어라 끌어안고 있던 팔에서 스르르 힘이 빠져나갔다.

"후우, 후우. 미치겠다. 왜 이렇게 예쁘지?"

감동 어린 말과 함께 얼굴 위로 키스의 비가 쏟아졌다.

역시 꿈이 맞다니까.

힘을 잃고 축 늘어진 채 나는 멍하니 그를 보고, 그의 손길을 느끼고, 그가 주는 온기와 격렬하게 두근거리는 그의 심장 소리를 만끽했다. 아까까지의 일은 싫었는데 이건 마음에 들었다. 이제야말로 사랑받고 있는 듯한 느낌이 들어서. 죽음 같은 잠이 쏟아졌다. 그런데 꿈속에서도 또 졸릴 수가 있는 건가?

대중목욕탕에 가면 안에 이런 말이 써 있다.

'음주 후 입욕 금지.'

술 마시고 탕에 들어가지 마시오.

그 말이 진리임을 나는 온몸으로 깨닫고 있었다. 하지 말라는 일엔 분명히 이유가 있음을 이날까지 어째서 알지 못했을까.

"끄응."

속이 아프다, 머리도 아프다, 몸뚱이도 아픈 것 같다.

익사 직전에 건져진 사람처럼 나는 완전히 탈진해 있었다. 감각이 제대로 느껴지지 않는 것이 아무래도 팔다리가 제대로 붙어 있는지조차 잘 모르겠다. 특히 허리 아래로는 감각이 없고 힘도 들어가지 않고 있어서 발가락이 잘 있는지에 대해 확신할 수 없었다.

목욕하면서 술 한 병 마셨을 뿐인데 이게 웬 날벼락이란 말인가. 설마, 나 이대로 죽는 건 아니겠지?

"아흐흑."

속이 쓰리다.

일어나야 해장이라도 할 텐데 팔 하나 들어 올리는 것도 큰일이었다. 내 몸뚱이에 달려 있지만 팔이 아니라 무슨 철근처럼 무거운 것이 말도 안 듣고 삐걱거리기까지 했다. 간신히 고개를 돌려 옆자리를 보았다.

꿈에 고 사장을 본 것 같은데 혹시 꿈이 아니면 어쩌나 싶은 마음에. 그러나 다행히도 옆자리는 텅 비어 있었다. 사람이 누웠던 흔적이 없다는 사실을 확인하고서야 나는 비로소 안심했다.

"다행이다."

진심으로 다행이었다.

자세히 기억은 안 나지만 동서가 사다 준 야한 잠옷을 입은 것까지는 제대로 기억하고 있었다. 다른 건 몰라도 그 꼴을 고 사장에게 들켰다면 대체 얼마나 쪽팔릴 거란 말이냐. 더 다행인 건 내가 잠옷까지 제대로 입고 있다는 사실이었다. 그래도 내가 개념은 있어서 와중에도 잠옷을 찾아 입고 잠들었나 보다.

"내 옷이 아니네."

고 사장의 잠옷이었다.

눈동자만 굴려 입고 있는 옷을 확인하고서야 나는 그 사실을 깨달았다. 아무래도 방까지 가기가 귀찮아서 가까이에 있는 것을 찾아 입은 모양이다. 그것도 윗도리만. 속옷도 안 입고. 나 간밤에 대체 뭘 한 거지?

"어? 깨셨어요?"

손끝으로 홀딱 벗고 있는 아랫도리를 더듬고 있을 때였다.

방문이 조심스럽게 열리면서 웬 낯선 아주머니가 얼굴을 들이밀고 아는 척을 했다.

"누구……."

"사모님, 깨셨어요!"

응? 사모님?

대답 대신 그녀는 고개를 돌리고 등 뒤를 향해 소리쳤다. 그러자 곧 도도도 하는 발소리가 들리더니 문이 벌컥 열렸다.

"언니!"

"어, 아가씨?"

배가 남산 만하게 부른 아가씨가 뒤뚱거리면서 달려왔다.

"어때요? 이제 좀 괜찮아요?"

"네, 네?"

"눈도 못 뜨고 끙끙 앓기만 해서 얼마나 걱정했다고요. 오빠도 안절부절못하고 난리였었어요."

오, 오빠? 서방님이 왔었나?

앞뒤 연결도 안 되고 영문도 몰라 나는 누운 채 눈만 데구르르 굴렸다.

"잠도 못 자고 계속 옆에 있다가 방금 전에 출근했어요. 급한 일만 처리하고 일찍 들어온대요."

저기, 미안한데 그 사람이 설마 고 사장이라는 말은 아니 겠지요?

불길한 예감에 정신이 다 번쩍 들었다.

"언니, 어제 하루 종일 앓은 건 기억나요?"

"하, 하루 종일이요?"

"네, 그랬다니까요? 의사가 그러는데 스트레스성 과로래 요. 한동안 잘 먹고 잘 쉬어야 한댔어요. 오빠가 언니 꼼짝도 못하게 하라고 신신당부하고 갔고요."

어떻게 된 일일까.

상황 정리는 안 되고 머릿속만 복잡하게 뒤엉킨 채 빙빙 돌았다. 혹시 취해서 꿍꿍 앓는 걸 어제 돌아온 고 사장이 발 견하고 의사를 부른 것일까? 차라리 그런 거라면 좋겠다. 조 금 난감하긴 하지만 기억이 통째로 없는 것보다는 백배 나으 니까.

"배고프죠?"

"네? 아, 조금요."

"역시! 그럴 줄 알고 죽 끓였어요. 아주머니가 금방 가져올 거예요. 나요, 언니가 아픈 거 보고 얼마나 무서웠는지 몰라 요. 지난번에 맞은 일 때문에 그런 줄 알고 엄청 걱정했어 요."

"죄송해요. 근데 이제 괜찮아요."

하루 종일 앓았다는 말을 들어서 그런지 몸이 좀 가벼워진 것도 같았다. 그에 발가락에 힘을 주고 꾸물꾸물 일어나 앉았다. 근데 대체 어떻게 앓았기에 허리에 힘이 안 들어가는 거지? 위쪽은 조금 가뿐한 것이 그런대로 견딜 만한데 아랫도리는 이상할 정도로 온통 얼얼하고 뻐근해서 일어나 앉기가 무섭게 비명이 새어 나왔다.

허리에서 우두둑 하는 소리가 들렸다.

계속 누워만 있었던 탓인지 허리가 끊어질 듯이 아팠다. 아무래도 밥 먹고 스트레칭이라도 해서 제대로 풀어 주어야 할 것 같았다.

"많이 아파요?"

"아, 아니에요. 그냥 몸살을 앓고 나서 몸이 뻐근한 것뿐이에요. 조금 움직여 주면 더 괜찮아질 거니까 아무 걱정하지 마세요."

"후우, 다행이다. 언니 자꾸 아프고 그러지 마세요. 전요, 언니가 지금보다 더 건강해졌으면 좋겠어요. 언니는 나한테 엄마나 다름없으니까."

그렇게 말하면서 아가씨는 조금 울먹였다.

고 사장을 아빠처럼 여기고 자란 아가씨라 나한테도 엄마 대하듯 했다는 사실을 내가 왜 모르겠는가. 처음 만났을 때부터 우리 아가씨는 나한테 참 잘했었다. 애까지 가져서 힘들 텐데 이렇게 찾아와 병간호도 해 주는 착한 아가씨였다.

정에 굶주리고 마음도 여린 아가씨가 안쓰러워서 나는 가만히 안아 주었다.

"저 진짜 괜찮아요, 아가씨. 이제 걱정 안 하셔도 돼요. 죽만 먹고 금방 일어나서 또 아가씨한테 맛난 것 많이 해 드릴게요."

"훌쩍, 진짜요?"

"네."

남몰래 죄책감을 느끼며 나는 애써 밝게 웃었다.

내 생각인데, 사실 내 병명은 몸살이라기보다 음주 후유증에 더 가까웠다. 술을 지나치게 많이 마시고 목욕까지 한 다음 에어컨 바람을 맞으면서 잔 덕분에 몸살이 온 것이다. 물론, 방 구한답시고 며칠 동안 부지런히 돌아다닌 게 있어서 조금 피곤하기도 했지만 그건 말 그대로 아주 조금일 뿐이었다.

'내 다시는 술 마시면서 목욕을 하나 봐라.'

아가씨가 들여 준 죽을 퍼먹으면서 나는 그렇게 다짐하고 있었다. 그때까지만 해도 모든 일은 순조롭게 돌아가는 것 같았다. 고 사장이 퇴근할 때까지는 정말로 그랬다.

"괜찮아?"

늦은 오후 무렵, 허겁지겁 들어온 고 사장이 그렇게 물었을 때 나는 정말로 이상한 기분에 빠져 버렸다.

딱히 달라진 건 없는데 아무 이유 없이 그의 얼굴을 보는 게 민망했다. 아니, 아니다. 그냥 민망하게 아니라 엄청 부끄러워지고 있었다. 단순히 부끄럽기만 했으면 좋겠는데 꿈인지 생시인지 구분할 수 없는 이상한 장면도 눈앞을 스쳐 갔다.

언젠가 동서가 사 준 야한 잠옷이라거나, 옷을 벗어던지고 사장의 모습에다가, 불끈거리는 애호박이…… 아, 미치겠다.

"걱정했어."

멍하니 서 있는 내게 다가와 고 사장이 조용히 속삭였다.

그러면서 아주 자연스러운 태도로 팔을 내 허리에 감더니 바짝 잡아당기면서 입을 맞추는 거다. 쪽 소리와 함께 머릿속에서 종이 울렸다. 갑자기 '예쁘다'고 속삭이면서 환하게 웃던 그의 얼굴이 뇌리를 스쳐 갔다.

설마, 설마 그게 꿈이 아니었던 것은……?

"헉!"

화들짝 놀라 나도 모르게 엉덩이를 내려다보았다.

고 사장이 그 큰 손으로 내 엉덩이를 쓰다듬고 있었다. 내 엉덩이를, 내 엉덩이를! 그동안 이런저런 일이 많았지만 이런 일은 또 처음이었다.

고 사장, 지금 나를 희롱하시는 게요?

"하루 종일 보고 싶어서 혼났어."

으응?

고 사장이 이상하다. 헤실헤실 풀어진 입가에 미소까지 머금고 그는 다정하게 내 입술을 훔치고 귓가에 달콤한 말도 불어넣어 주었다. 그리고 내 가슴도 주물렀다. 안 그래도 욱신거리는 아랫도리가 묘한 반응을 일으키며 확 조여드는 것이 느껴졌다.

"아! 저, 저기…… 제가 아직 할 일이 남아서."

크게 당황한 나는 거의 밀어 버리다시피 그를 떼어 놓고 허겁지겁 밖으로 도망쳐 나왔다.

주방에 숨어서 미친 듯이 생각했다.

고 사장은 왜 갑자기 다정해진 건가. 아니, 그 은근한 손길과 후끈하다 못해 느끼한 대사는 무엇이며 나의 반응은 또 왜 그렇게도 음란했던가.

"미숙아, 너 도대체 무슨 짓을 한 거니? 으응?"

나는 이제 점점 더 두려워지기 시작했다.

만약에, 아주 만약에, 내가 꿈이라고 믿고 있는 그 장면들이 사실은 실제로 있었던 일이라면? 술 마시고 거품 목욕도 하고 그 뒤에 고 사장이랑 그렇고 그런 일을 한 게 사실이라면 그땐 어떻게 해야 하는 것이지?

"아, 아니야. 그럴 리가 없어. 아무리 미쳤어도 그렇지 내가 어떻게 그런……. 생각하지 말자, 생각하지 말자."

필사적으로 고개를 저었다.

그래, 내가 생각해도 그건 말이 안 되는 일이었다. 내가 술 마시고 목욕 좀 했다고 치자. 야한 잠옷도 입었다고 치자. 아무리 그랬어도, 설령 내가 유혹을 좀 했다고 해도 고 사장이 단박에 넘어왔다는 건 말이 안 된다. 다른 사람은 몰라도 이성의 화신 같은 고 사장이 확 풀어져서 나를 덮쳤을 리가 없었다. 그에게도 일단은 취향이라는 게 있을 것 아닌가 말이다.

"아, 식은땀 나."

놀라고 당황한 마음에 이젠 땀까지 다 났다.

당혹스러운 마음을 감추기 위해 나는 졸졸 따라다니는 고 사장을 외면하고 일부러 집안일에 몰두하는 척했다. 주방도 쓸고 닦고 텃밭에도 잠깐 나가 보고 다 늦게 빨래거리도 챙겼다. 문제는 거기에서 발견되었다.

"마, 맙소사!"

한 손으로 입을 막은 채 나는 그만 주저앉고 말았다.

세탁 바구니에서 문제의 야한 잠옷이 나왔다. 그것만 나왔으면 그나마 덜하겠는데 내 팬티도 같이 나온 게 진짜 문제였다. 꿈속에서 고 사장이 찢어 버린 팬티가 떡하니 나타나 '나 반갑지?' 라고 말하듯 덜렁거렸다. 당시에 고 사장이 입고 있던 팬티도 같이 붙어 있었다.

"미쳤어!"

나는 정말 울고 싶어졌다.

그러니까 윤미숙이 술 마시고 그 추태를 부린 게 사실이란 말인가. 고 사장이랑 그렇고 그런 짓을 한 게 진정 사실이라고? 하늘이 노랗게 물들었다. 피 묻은 시트까지 발견했을 땐 더 이상 말도 나오지 않았다. 인간 윤미숙, 마침내 대형 사고를 쳤다.

"나 이제 어떻게 해."

머리칼을 쥐어뜯으면서 나는 거의 끙끙 앓았다.

이제 무슨 얼굴로 고 사장을 봐야 하나.

곧 방을 구해 떠나야 하는데 어쩌자고 나는 이런 짓을 저지른 것인가. 그냥 나가기가 아까웠나? 열이 오른다. 간신히 가라앉았던 통증이 다시 몰려오는 듯한 기분마저 느끼며 나는 혼자 울었다. 할 수만 있다면 내 손으로 뒤통수를 친 다음 기억상실증에 걸려 버리고 싶었다.

이 와중에 고 사장이 나의 은밀한 그곳에 입을 맞추는 장면을 떠올린 건 기억력이 좋아서가 아니라 순전히 내가 변태이기 때문이다. 하필이면 떠올려도 꼭⋯⋯.

"도와줄까?"

밥상을 차리는 내게 고 사장이 다정하게 물었다.

한 짓이 있다 보니 심장이 덜컥 내려앉았다.

왜 이러시오. 안 그래도 발이 저려 죽겠으니 그냥 원래 하던 대로 하시오, 제발.

"괘, 괜찮아요. 얼른 앉으세요."

"음."

눈도 못 마주치고 허둥지둥하는데 그 모습을 보고도 그는 기분 좋게 웃었다. 국을 퍼 줘도 웃고 밥을 줘도 웃고 싫어하는 파를 권하는데도 웃었다. 평소엔 한 달에 한 번 웃을까 말까 한 사람인데 오늘은 너무 자주 웃어서 무서워지려고 했다. 마치 나사가 몇 개쯤 고장 난 사람 같았다. 고장쯤이 아니라 아예 진짜 고 사장인지 의심이 갈 지경이었다.

"자, 많이 먹어."

"네, 네."

밥 위에 큼직한 고기를 하나 얹어 주면서 그가 또 눈웃음을 쳤다. 그러다 시선을 내게 콕 박아 둔 채 군침을 꿀꺽 삼키더니 진지하게 물었다.

"맛있나?"

끄덕.

"그럼 나도 줄래?"

나는 말없이 장조림 그릇을 그의 앞으로 밀어 주었다. 그러자 한쪽 눈썹이 불만스럽게 하늘로 삐죽 올라가는 거다. 그래서 이번엔 젓가락으로 집어서 밥 위에 올려놓으려는데 돌연 그가 손을 뻗더니 내 손을 잡고 통째로 자기 입으로 가져갔다. 고기를 쏙 빼 문 그가 만족스럽게 웃었다. 입으로 받아먹고 싶었던 거였소? 나는 돌이 되었을지언정 그는 어디까지나 기분이 좋아 보였다.

근데 이제 그만 손 좀 놓으시오, 고 사장.

내가 아직 충격을 다 극복하지 못해서 이렇게 마주 앉아 있는 것도 사실 많이 부끄럽고 무섭소. 그래서 하는 말인데 이왕이면 지난밤의 그렇고 그런 일도 죄다 잊어 주시면 안 되겠소?

속이 타들어 갔다.

실수였다고, 쫓겨나기 싫어 어찌해 보려는 의도는 절대 아니었다고 말하고 싶어 입이 근질거렸다. 그런 내 속도 몰라 주고 고 사장은 잡은 내 손을 은근하게 간질이고 있었다. 시선을 장악한 채 손가락으로 바닥을 살살 긁으면서 슬쩍 웃는다.

아오, 미치겠는 거.

가만히 있어도 섹시한 사람이 방글방글 웃기까지 하자 전에 없던 색기가 흘렀다. 내가 원래 이렇게 음탕한 사람이 아닌데 그럼에도 불구하고 시선이 자꾸만 단추를 두어 개쯤 풀어 놓은, 셔츠 사이로 슬쩍 보이는 그의 속살로 향하려고 했다. 식은땀이 다 났다. 그때였다.

문득, 종아리에 무언가가 와 닿는 것이 느껴졌다.

흠칫 놀라서 내려다보니 고 사장의 발이 마치 애무하듯 슬금슬금 종아리를 쓰다듬고 있었다.

챙그랑!

젓가락까지 놓치고 나는 벌떡 일어서고 말았다.

어찌할 바를 모르고 허둥대다 후다닥 도망쳤다. 아무래도 고 사장의 분위기가 수상했다. 안 그러던 사람이 대체 왜 이렇게 섹시하게 웃느냔 말이다. 밥 먹다 말고 종아리를 더듬는 건 또 뭐고?

설마, 지금 나를 유혹하는 거요, 고 사장? 한 번으로는 부족하니 다시 덮쳐 달라 그거요?

"앗!"

거실로 도망친 나를 고 사장이 홱 잡아챘다.

등 뒤에서 꽉 끌어안고는 귓가에 뜨거운 바람에 훅 불어넣었다. 오싹 소름이 돋았다. 척추를 타고 쾌감 같은 것이 빠르게 내달리고 아랫배가 뭉근하게 아파 왔다.

"사실은, 아까부터 계속 이러고 싶었어."

이러고 싶었다니 혹시 내 가슴을 만지고 싶었다는 말이오? 아니면 엉덩이 쪽이요?

그는 참 당당하게도 내 가슴을 움켜쥔 채 만지작거리고 있었다. 그것만으로도 죽겠는데 엉덩이에 딱 닿은 아랫도리에서도 무시무시한 열기가 느껴졌다. 신열이 오르고 있었다.

나 다시 아픈 것 같소, 고 사장.

쓰러지고 싶은 기분에 시달리며 나는 울상을 짓고 말았다. 지난밤의 그 일이 나의 실수라거나, 우연일 거라는 생각은 전혀 안 하고 있는 게 분명한 그에게 무슨 말을 할 수 있을까. 내가 먼저 유혹을 한 것도 사실이니 변명도 통하지 않을 터였다.

"저, 저기!"

가슴에서 놀다 슬금슬금 아래로 내려가는 손을 덥석 잡아 챘다.

한 번은 실수라고 변명할 수 있지만 두 번째는 안 된다. 고 사장을 좋아하는 것과 이건 확실히 다른 문제였다. 나는 사 랑을 받고 싶은 거지 섹스를 하고 싶은 게 아니니까. 더구나 그날 밤의 충격적인 경험으로 인해 나는 벌써 그 짓이 무서 웠다. 섹스라는 게 그렇게 사람을 잡을 정도로 아픈 것인 줄 은 미처 몰랐지 뭔가.

"왜?"

벌써 호흡이 거칠어진 그가 목덜미에 입술을 가져다 대면 서 살짝 보챘다.

"그게, 제가 아직 아, 아픈데."

"응?"

"……아파요."

거짓말이 아니었다.

뭘 어떻게 한 건지 허리도 뻐근하고 아랫도리의 중요 부위 는 아직도 홧홧한 기운이 남아 있었다. 뿐만 아니라 아랫배 깊은 곳도 뭉근하게 아프고 열도 조금 났다. 어제 하루 종일 앓고도 이 정도라는 게 나도 어이가 없었다.

나의 앙탈에 그는 조금 당황했다.

말없이 나를 바라보고 아래도 바라보았다가 그래도 인정하기 싫다는 듯 조심스럽게 허리께를 쓰다듬었다.

"조심할게."

그게, 그렇게 해서 될 문제가 아닌 듯하오만.

"천천히, 부드럽게 한다고 약속해."

"……."

"그래도 아플 것 같아?"

끄덕.

나는 가차 없이 고개를 끄덕였다. 그래, 고 사장도 남자다. 막 앓고 일어난 핼쑥한 얼굴을 보고도 그러고 싶은 남자. 그는 더 당황해서 말도 못하고 나를 한동안 가만히 바라보기만 했다. 그래도 내가 꿈쩍을 않자 어쩔 수 없었는지 결국은 체념 어린 긴 한숨을 내쉬었다.

"그냥 안고만 자지."

타협이 이루어졌다.

나는 따로 자길 원했지만 그것까지 거부하면 그가 제대로 화를 낼 것 같았다. 그래서 딴에는 시간을 끌다가 한참 늦은 밤이 되어서야 어쩔 수 없이 나란히 누웠는데 맨 정신으로 나란히 눕는 게 오랜만이라 그런지 분위기가 말도 못하게 어색했다.

"음."

고 사장이 몸을 더듬어 준 덕분에 더더욱.

모로 누워 딱 달라붙은 채 그는 부지런히 움직이고 있었다. 온몸에 도장을 찍으려는 듯 등은 물론이고 엉덩이 부근까지 입술을 대고 핥고 깨무는 건 예사였다. 가슴이 얼마나 주물림을 당했는지 터질 듯이 탱탱하게 부풀어 있었다. 그러고도 모자라 그는 은근히 다리 사이를 노리며 자꾸만 아랫도리를 붙여 왔다.

아프다는 말을 귓등으로 들은 게 틀림없었다.

아니면 지난밤처럼 넣지만 않으면 다른 건 다 괜찮다고 생각하고 있는 중이거나. 이런 사정으로 인해 그는 몸이 뜨거워졌고 나는 머리가 점점 더 뜨거워졌다. 배도 아프고 머리도 아팠다. 필사적으로 눈을 감고 잠든 척하는 것도 보통 일이 아니었다.

"아!"

어깨에서 따끔한 통증이 느껴졌다.

나도 모르게 눈을 뜨고 돌아보자 고 사장이 아무 일도 안 했다는 듯 멀끔한 얼굴로 나를 바라보았다. 얼굴이나 표정이 하도 반듯해서 정말 아무것도 안 한 사람처럼 보였지만 속을 일이 따로 있었다. 다른 건 둘째 치고 내 어깨에 난 흔적은 어쩔 텐가.

"어, 얼른 주무세요."

기대 어린 눈빛을 보내는 그를 가차 없이 외면하고 나는 냉큼 돌아누웠다. 침대 끝까지 굴러간 다음 이불을 끌어당겨 몸을 빈틈없이 꽁꽁 가리고 눈을 질끈 감았다. 반라 차림으로 누운 고 사장이 안 섹시해서 이러는 게 아니다. 그가 아무리 섹시해도 내가 변태라고 해도 안 되는 건 안 되는 거였다.

"후우."

긴 한숨 소리가 뒤통수를 찔렀다.

나는 할 일을 한 것뿐인데 그의 한숨 소리 하나에 죄책감이 몰려오려고 했다. 문득 짜증도 났다. 내가 지금 이렇게 아픈 게 다 누구 탓인데 지금 그러고 누워 한숨을 내쉬나. 아무리 내가 유혹을 했다고 해도 그렇지. 카리스마 고 사장답지 않게 왜 홀딱 넘어와서 애꿎은 내게 공포증을 남겼느냔 말이다.

'내가 앓는 걸 다 보았다면서 또 그러고 싶으시오?'

양심 없는 고 사장.

순간의 실수로 일을 벌였다면 이젠 수습에 골몰해야 마땅하거늘 왜 자꾸 즐기고 싶어 하나. 이러다 애라도 생기면 어쩌려고? 나야 그래도 그가 좋아서 했으니 후회가 없다지만 그는 내가 좋은 것도 아닐 터였다. 근데 대체 왜 이러느냔 말이다. 나가 달라는 말을 듣지 않았다면 '혹시 이 사람이 내게 마음이 있나?' 라는 생각을 했을지도 모른다.

'언제까지 여기서 지낼 생각이지?'

그 한마디에 사형 날짜를 받아 놓은 사람처럼 날마다 방 구하러 다니기 바쁜 내게 이게 할 짓인가?

책임이니 뭐니 할 생각은 없지만 그래도 이건 아니었다. 실망스러운 마음이 불쑥 커져 나는 더 모질게 그를 외면해 버렸다. 다시는 그날 밤과 같은 실수를 하지 말자고 다짐도 했다. 그때였다.

잠시 부스럭거리는 소리가 들리더니 고 사장이 벌떡 일어나 욕실로 사라졌다. 그리고 곧 물소리가 들려오기 시작했다. 그가 샤워를 하고 있었다. 단순히 더워서 그런 건지 아니면 후끈 달아오른 몸을 식히기 위함인지는 모르겠으나 한밤중 그의 샤워는 꽤 길게 이어졌다. 그런데 가만히 누워 물소리를 듣고 있자니 어째 기분이 조금 이상해지는 거다.

'다 벗고 씻는 거겠지? 하긴 샤워니까. 꽤 오래하네. 구석구석 깨끗하게 닦느라 시간이 걸리는 건가?'

아무 이유 없이 가슴이 동동거렸다.

방금 전까지는 아무 생각이 없었는데 그가 욕실에서 씻고 있다는 사실만으로 난데없는 호기심이 마구 샘솟았다. 내가 몰래 훔쳐보고 싶어서 이러는 게 아니다. 물소리를 듣다 보니까 뭘 하는지 그냥 좀 궁금해진 것뿐이었다. 나올 때가 되었는데 안 나오고 있는 것도 그렇고.

"아오, 미치겠네. 오밤중에 왜 갑자기 샤워를 하고 난리래. 물소리 때문에 시끄러워서 잠이 안 오네. 물이나 한 잔

마실까?"

긴장했더니 목이 조금 타는 듯해 나는 주섬주섬 자리에서 일어섰다. 발꿈치를 들고 조용히 주방으로 가 시원한 얼음물을 따라 마셨다. 그러고 나니 왠지 방으로 들어가기가 더 어색한 거다. 고 사장이 샤워를 마치고 이제 막 나왔으면 어찌해야 하나. 혹시 전처럼 홀딱 벗고 나오면 그땐 또 어찌해야하나. 혼자서 쌓는 고민의 탑이 하늘 높은 줄도 모르고 점점 더 높아지고 있었다.

"그냥 작은 방으로 가서 잘까?"

들어가자니 무섭고 안 들어가자니 그건 또 그것대로 무서웠다.

뿔난 고 사장보다 더 무서운 건 없으니까. 한동안 안절부절못하다 결국 두 눈을 질끈 감고 나는 다시 방으로 돌아가는 길을 선택했다. 한숨과 함께 방문을 잡았다. 그리고 힘을 주기도 전에 안으로 홱 딸려 들어갔다.

"어어!"

"음?"

앞으로 홱 자빠지는 나를 막 방에서 나오려던 고 사장이 냉큼 받아 안았다. 아직 촉촉이 젖은 몸에 아랫도리만 걸친 채였다. 근데 왜 이렇게 섹시하지? 젖은 고 사장은 아까보다 조금 더 눈부시게 반짝거리고 있었다. 물기 어린 몸에 야성적인 눈빛을 더하자 마치 비 맞은 한 마리 표범처럼 보였다.

새삼스럽게 가슴이 떨렸다. 방금 전에 물을 마시고 왔음에도 불구하고 다시 목이 탔다.

"유혹하는 건가?"

"네?"

"눈빛이…… 야해."

쿨럭!

아니 이놈의 눈깔이 나도 모르게 음흉하게 번뜩였나?

짧은 한마디에 어쩔 줄 몰라 하다가 황급히 시선을 돌렸다. 그러나 이미 때는 늦었으니, 나는 진즉부터 기회를 노리고 있던 고 사장의 마수를 피해 갈 수 없었다. 아래로 푹 숙여졌던 고개가 그의 손에 의해 도로 위로 올라갔다.

눈이 딱 마주쳤다. 그리고…… 씨익. 멋진 선을 그리며 그가 웃었다. 그 미소가 지나치게 섹시해서 나도 모르게 속눈썹이 파르르 떨렸다. 심장이 콩닥콩닥 뛴다. 순간, 그의 미소가 더 짙어지는가 싶더니 그 보기 좋은 입술이 얼굴로 다가왔다.

"예쁘다."

속삭이는 소리가 예민한 귓불을 스쳐 갔다.

오싹 소름이 돋았다. 미칠 듯한 간지러움에 어깨가 오그라드는 느낌이었다. 부르르 몸을 떠는 사이 촉촉한 입술이 귓불을 지나 뺨으로 내려앉는 것이 느껴졌다. 따뜻한 숨결이 입술 위에서 느껴졌을 땐 감전된 것처럼 심장이 저려 왔다.

아, 왜 이렇게 떨리지? 아까 침대 위에서 만지작거릴 땐 모르겠더니 지금은 너무 떨려서 열이 오를 지경이었다.

다정하고 여유 만만한 입술이 부드럽게 내 입술을 물고 빨아 당기고 있었다. 천천히 간질이기도 하고 유혹하듯 핥기도 했다. 그러다 마침내 혀가 뒤엉켰다. 미처 몰랐는데 혀라는 것의 온도도 상당했다. 그것은 생각보다 더 뜨겁고 조금 더 까칠했다. 그리고 아주 많이 예민했다.

수다 떨 때랑 먹을 때만 쓸모 있겠거니 여겼었는데 아니었다. 숨소리와 열기, 그리고 작은 떨림까지도 모조리 전해지면서 몸이 순식간에 후끈 달아올랐다. 혀에도 이렇게 많은 감각이 존재하는 줄을 나는 처음 알았다. 그의 입술이 목덜미로 내려앉았다. 이젠 심장이 저리다 못해 몸까지 떨려 왔다. 심장 아래가 미친 듯이 간질거리고 아랫도리는 무언가를 기대하듯 팽팽하게 당겼다.

"아!"

원피스 끈을 밀어내리고 그가 가슴에 얼굴을 묻었다.

동시에 짜릿한 감촉이 전신을 내달렸다. 내 가슴을 물고 있는 고 사장이라니. 무서우면서도 야하다는 생각에 숨이 멎을 것 같았다. 이 남자가, 자그마치 고 사장이 이런 노골적인 애무를 할 거라고는 생각도 못했었는데…….

아니다. 생각해 보니 고 사장은 이보다 더 괘씸한 짓도 했었다.

비록 술김이라 기억은 잘 안 나지만 분명히 홀딱 벗은 내 아랫도리에 입술을 대고 진하게 입 맞추던 그를 기억한다. 그게 정말 꿈이 아니었다면 말이다.

"읍!"

허리께에 대강 걸려 있던 원피스가 마침내 아래로 툭 떨어져 내렸다. 민망해할 겨를도 없이 고 사장이 속옷만 입고 있는 나를 불끈 안아 들었다. 그러더니 다시 입 맞추면서 몇 걸음 걷다가 천천히 내려놓았다. 등 뒤로 푹신한 감촉이 느껴졌다. 소파 위였다.

묵직하게 덮쳐누르는 뜨끈한 몸의 감촉이 믿어지지 않을 만큼 생생해서 오히려 낯설었다. 36.5도가 원래 이렇게 뜨거운 온도였나? 유난히 더 뜨겁게 느껴지는 그의 체온에 전율하며 나는 조금 꿈틀거렸다. 그러자 가슴을 애무하던 고 사장이 벌떡 몸을 일으키더니 바지로 손을 가져갔다.

멍하니 누워 나는 바지를 벗어던지는 고 사장을 바라보았다. 이런 장면을 전에도 본 것 같았다.

'그게 정말 꿈이 아니었구나.'

뒤늦은 깨달음이 뒤통수를 후려쳤다.

그가 다시 몸을 겹치며 내 팬티를 끌어내리는 모습도 낯익었다. 아니다, 그땐 그냥 찢어 버렸었다. 흥분의 크기가 너무 커 그는 마치 열흘 만에 밥을 본 사람처럼 다급하게 굴었던 것 같다. 그래서 내가 처음이었다는 사실도 모르고.

혹시, 그도 처음이었을까?

에이, 아니겠지. 이 나이에, 이 잘난 얼굴에 처음이라면 세상 여자들 눈은 모조리 썩은 거겠다. 더구나 내가 하루 종일 끙끙 앓은 걸 보면 뭐든 다 잘하는 사람답게 그 일도 엄청 잘했던 것 같은데 말이다. 이런 남자를 그냥 둔다는 건 거의 죄악에 가까웠다. 혹시 나처럼 무서워서 접근을 못한 거라면 이해할 수도 있지만.

거기까지 생각했을 땐 이미 다리가 넓게 벌어져 그의 어깨에 걸려 있었다. 한창 예민하게 달아올라 있는 은밀한 부위에 착 달라붙는 혀의 감촉이 꽤 충격적이었다. 허리가 저절로 튕겨 올라갔다. 그것 봐라. 고 사장이 이런 짓도 해치웠다고 내가 말했지 않나. 그러니 이것은 데자뷰(deja vu)가 아니라 진짜 두 번째 경험인 것이다.

"아아!"

몸 깊은 곳에서 잠시 잊고 있던 둔통이 올라왔다.

못 견디게 간질거리다 서서히 젖어 드는 느낌과 함께 아랫배가 욱신거렸다. 그런데 기분이 묘했다. 그의 혀가 때때로 예민한 부위를 건드릴 때마다 소스라칠 정도로 강한 쾌감과 함께 몸이 붕 떠올랐다. 전엔 이러지 않았던 것 같은데 이건 대체 뭘까?

"음, 천천히 할게."

다리 사이에 자리를 잡으며 그가 가만히 속삭였다.

그 말을 듣자 다시 아플지도 모른다는 생각이 들면서 몸이 조금 굳었다. 그런 변화를 느꼈는지 그는 가슴이 맞닿을 정도로 나를 바짝 안고 부드럽게 입을 맞추고 몸을 쓰다듬어 주었다. 그러나 내 신경은 이미 그의 남성이 쿡쿡 두드리고 있는 아랫도리에 온통 쏠려 있었다.

"괜찮아, 긴장을 풀어."

다시 말하지만 직접 겪어 보고 나서 말하시오, 고 사장.

겪어 보지 않은 사람은 그런 말을 하는 게 아니오.

갑자기 후회가 됐다. 고 사장이 물 좀 묻혔기로서니 몽롱하게 풀어질 건 뭐였나. 조금 더 섹시해졌을 때 어째서 위험을 감지하지 못했던가. 홀딱 벗고 그의 밑에 누워서 할 생각은 아니었지만 여기까지만 하고 그만두면 참 좋을 것 같았다.

"아!"

입이 벌어졌다.

불끈거리는 뜨거운 것이 뱃속으로 밀고 들어오는 느낌이 너무 적나라하게 전해져 오고 있었다. 당연히 아팠다. 입구에서부터 시작된 묵직한 통증에 다리가 오그라들었다. 그를 도로 밀어내고 싶은 마음이 뭉클뭉클 피어나고 있는데 그런 걸 아는지 모르는지 고 사장이 내 두 팔을 당겨 목에 감게 했다. 동시에 큼직한 놈이 몸 안으로 쑥 들어왔다.

"아아!"

불시에 뒤통수를 맞아도 이보다 더 충격적일까.

뱃속이 그득하게 들어차는 느낌에 소스라치면서 나는 두 다리를 펄떡였다.

"으음."

문득, 그의 입에서 나직한 신음이 흘러나왔다.

좋아서 들뜬 게 아니라 이를 악물고 무언가를 견디고 있는 모습이었다. 그제야 나는 그의 이마에서 떨어지는 땀을 보았다. 신선한 충격에 경직된 몸이 조금 풀어졌다. 사실은, 나를 위해서 그도 참고 있었나 보다. 내가 아플까 봐.

"괜찮아?"

눈을 뜨고 그가 힘겹게 물었다.

열기로 가득한 시선이 얼굴로 쏟아졌다. 덩달아 내 얼굴도 빨갛게 달아오르는 것만 같았다. 이상한 일이었다. 이건 마치 그에게 사랑을 받고 있는 듯한 느낌이 아닌가. 간질거리던 심장이 쿵쿵 소리를 내면서 뛰기 시작했다. 대답 대신 나는 그의 목에 두르고 있는 팔에 조금 더 힘을 주었다.

"음!"

반사적으로 그의 허리가 꿈틀거렸다.

"이러면…… 으음, 못 참아."

"아!"

"아플지도 몰라."

다리가 위로 불쑥 쳐들렸다.

아픈 건 더 이상 문제가 아니었다. 심장이, 아랫배가 뜨겁고 간질거려서 미칠 것 같았다. 나도 모르게 자꾸만 허리가 들썩였다. 방금 전까지는 거슬리기만 했었는데 점점 더 젖어 드는 스스로가 낯설고 이상했다. 대체 내가 왜 이러는 건가. 제발, 떠들지만 말고 어떻게 좀 해 줬으면 좋겠다.

"아아!"

호응하듯 그의 움직임이 빨라지고 있었다.

끝까지 밀려 들어왔다 쑥 빠져나가는 강한 힘에 의해 온몸이 흔들렸다. 그에 따라 그의 얼굴에도 서서히 환희가 어리기 시작했다. 눈을 감고 쾌감을 음미하는 모습이 말도 못하게 음란했다. 이렇게 섹시한 고 사장을 독점하고 있다는 사실이 꿈만 같았다.

"아앗!"

그의 엉덩이가 둥글게 그림을 그리는가 싶더니 순간 더 깊은 곳까지 파고들었다. 끝까지 닿는 느낌에 전율하며 나는 억눌린 신음을 터뜨리고 말았다. 그 소리에 자극을 받았는지 그가 몸을 벌떡 일으키면서 내 엉덩이를 꽉 움켜쥐었다. 그러곤 무서운 속도로 들이치기 시작했다.

"아윽! 아아아아!"

살과 살이 맞닿아 요란한 비명을 터뜨렸다.

거칠고 강한 힘으로 온통 뭉개지고 비벼진다. 촉촉한 느낌이 들 정도로 아랫도리가 빠르게 젖어 들었다. 그러다 마침

내 깊은 곳까지 크게 휘저어지는 순간 속에서부터 불같은 한 줄기 쾌감이 일었다. 짜릿한 감각이 등줄기를 타고 전신으로 확 번져 가고 있었다. 동시에 무서운 힘으로 몸이 굳더니 그림처럼 허리가 휘었다.

"흑! 으흑."

"윽!"

속살이 강하게 조여들고 그의 허리에 두르고 있는 다리에도 저절로 힘이 들어갔다. 순간, 그의 눈빛이 확 돌변했다. 달아오를 대로 달아오른 심지에 드디어 불길이 붙은 것처럼 그의 눈에도 새파란 불이 켜졌다. 조금은 사납고 거칠 것 없이 잔인한 불길이 이는 모습을 나는 분명히 본 것 같았다.

그의 입가에 미소가 떠올랐다.

예의 성질 나빠 보이는 음흉한 미소가 흥분의 크기만큼이나 점점 더 커졌다. 안 그래도 부담스러운 그의 남성도 더 커다랗게 부풀어 올랐다.

"헉!"

두근!

눈앞이 하얗게 물드는 충격이 찾아왔다.

다리를 양옆으로 잡아 벌린 채 그가 미친 듯이 움직이고 있었다. 아랫도리가 온통 뜨겁게 달아올랐다. 이제 막 깨달은 쾌감이 불쑥 크기를 키우더니 순식간에 이성을 집어삼켰다. 이대로 죽는다 해도 아무 상관이 없을 것 같은 격렬한 쾌감이었다.

"아아!"

미친 듯이 그에게 매달려 나는 울부짖었다.

이건 더 이상 인간적인 행위가 아니었다. 나는 인간도 동물도 아닌 그냥 암컷이 된 것만 같았다. 본능을 까발리는 노골적인 행위가 나를 그렇게 만들고 있었다. 높이높이 떠오르던 몸이 이제는 무서운 속도로 추락하는 느낌이었다. 오싹한 쾌락과 함께 아찔한 공포가 찾아왔다. 그리고 마침내 머릿속까지 하얗게 물들었다.

"으흑!"

"으음!"

어디에서부터 시작되었는지 알 길 없는 떨림에 몸을 맡긴 채 나는 작게 신음하며 늘어지고 말았다. 언제 이렇게 젖었는지 온통 땀범벅이 된 몰골로 스르르 눈을 감았다. 깊은 충족감과 함께 기분 좋은 나른함이 찾아왔다.

"후우, 후우."

거친 숨을 내쉬는 묵직한 몸이 다시 덮쳐 와 무겁게 내리눌렀지만 더 이상 거부감은 들지 않았다. 나는 말없이 팔을 뻗어 뜨끈한 그의 몸뚱이를 마주 앉았다. 심장을 마주 대고 있자니 처음으로 진짜 그를 마주한 것 같은 기분이 들었다.

고 사장, 솔직히 말해 보시오.

사실 당신은 그리 착한 사람이 아닌 거지요? 참아 주는 척했지만 결국은 뜻한 대로, 마음먹은 대로 해치우는 나쁜 남자라는 걸 내가 이제 알았소.

다정하게 어루만지는 손을 느끼며 나는 희미하게 미소 지었다.

사실대로 말하자면, 섹스보다 입 맞추어 주고 쓰다듬어 주고 끌어당겨 안아 주는 넓은 품이 나는 더 좋았다. 이성을 가진 사람으로 다시 돌아온 것 같아서. 그리하여 나는 깊은 안도감과 몸을 감싸는 온기 속에서 이렇게 웃을 수 있는 것이다.

"음, 한 번 더할까?"

고 사장, 그 입 닥치시오.

나 이래 봬도 의사에게 스트레스성 과로라는 진단을 받은 사람이오. 그리고 이제 더 아플 일만 남았단 말이오.

점점 더 농도를 더해 가는 그의 손길을 모른 척하고 나는 눈을 감았다. 그리고 한 마리 인어처럼 아무런 망설임 없이 깊은 잠속으로 유영해 들어갔다.

11.

무인도에 사는 여자 (상)

발 아픈 걸 참지 마세요. 인생은 더 나아질 수 있다고요.

—미 앤 유 앤 에브리원(Me And You And Everyone
We Know, 2005) 中—

뚜르르르…… 뚜르르르…….

딸칵!

—고객이 전화를 받지 않아 삐 소리 후 음성 사서함으로
연결됩니다. 연결된 후에는 통화료가 부과됩니다.

뚝!

"후우, 또 안 받네."

영은이가 전화를 받지 않고 있었다.

사나흘이면 된다고 해서 딴에는 시간을 더 준답시고 일주
일이나 기다렸다가 전화를 걸었는데 어찌 된 영문인지 계속
연결이 되지 않았다.

"무슨 일이 있나?"

혹시 어디 아픈 건 아닌지 걱정이 되었다.

타향에서 혼자 지내는 사람이 제일 서러울 때가 바로 아플
때라고 하더라. 나야 그래도 고 사장이 있고 아가씨랑 동서
가 챙겨 주기도 하니 덜하지만 영은이는 곁에 아무도 없이
정말로 혼자서 지내고 있는 것 같았다.

"진짜 아픈 거면 어떻게 하지? 집으로 찾아가 볼까?"

단 한 번뿐이었지만 일전에 돈을 맡길 때 나는 그녀의 집
앞까지 가 본 적이 있었다.

집 앞에서 돈을 건네주고 온 것뿐이라 안까지 들어가 본
건 아니었어도 그래도 한 번 가 봤으니 다시 찾아가 보라고
하면 어찌어찌 갈 수 있을 것도 같았다. 이제 익숙해질 만큼
익숙해져서 지하철도 제대로 찾아 타고 어지간한 곳은 그런
대로 찾아갈 줄도 아니까. 뭐, 하도 복잡한 도시라 가끔은 헷
갈릴 때도 있긴 하지만.

"내일도 전화를 받지 않으면 한 번 가 보자. 정말 아파서
누워 있는 걸지도 모르니까."

아쉬운 마음을 뒤로하고 도로 휴대폰을 집어넣었다.

오늘도 여지없이 더웠다. 이제 본격적인 여름이라 아침이

고 저녁이고 늘 더운 것 같았다. 집 안에 있을 땐 잘 못 느끼다가도 이렇게 어쩌다 외출을 할 때면 그 사실을 깨닫고 놀라곤 하는 게 요즈음의 일이었다. 지난해 이맘때만 해도 선풍기 하나 달랑 돌아가는 푹푹 찌는 집에서 살았으면서 그런 사실 따윈 까맣게 잊은 채 '역시 집이 좋아.'라는 말을 입에 달고 산다.

"늦네."

한낮의 햇볕이 쏟아지는 유리창 밖에 시선을 두고 나는 시원한 커피를 한 모금 마셨다. 우리 집 막내 미주를 만나러 나온 길이었다. 방학하기 전에 한 번 보고 여직 못 본 채 지내다가 마침 볼일이 있어 올라온다기에 부러 약속 시간을 잡았다. 방 구하고 나면 같이 지내자는 말을 해 볼 참이었다.

"언니!"

"미주야."

역시 날이 덥긴 한지 애가 벌겋게 익은 얼굴로 뛰어 들어왔다.

자리에 앉자마자 손부채질을 하고 난리가 났다.

"아우, 더워. 무슨 날씨가 벌써부터 이렇게 푹푹 찌지?"

"여름이니까 그렇지. 오느라 고생했니?"

"고생은 무슨. 지하철 타고 와서 잠깐밖에 안 걸었어. 근데도 더워서 이 모양이지만."

혀를 쏙 내밀며 미주가 히죽 웃었다.

내 동생이지만 말간 얼굴이 제법 예뻤다. 작년만 해도 고등학생 티가 팍팍 나던 애가 요샌 그래도 대학생이랍시고 많이 어른스러워지기도 했고, 무엇보다 교복을 벗어서 그런지 훨씬 태가 고와졌다.

"언니가 옷 한 벌 사 줄까?"

뜬금없는 소리에 미주의 눈이 동그래졌다.

"갑자기 옷은 왜?"

"그냥, 여름이니까 청바지 같은 거 말고 예쁜 옷도 입고 싶을 것 아냐."

"에이, 괜찮아. 우리 과 애들도 다 이러고 다니는데 뭘. 근데 언니 어디 아팠어?"

"응? 아니, 괜찮았는데. 왜?"

"얼굴이 홀쭉해진 것 같아서. 전보다 살도 빠진 것 같고. 밥도 안 먹고 사는 사람처럼."

그래, 우리 미주가 사실은 매 눈이다.

동글동글해서 성격도 유하고 소탈한 것 같지만 한편으로는 꼼꼼하기 짝이 없어서 작은 것도 그냥 지나치는 법이 없었다. 그러니 얼굴만 보고도 제 언니가 살이 쪘는지 말랐는지를 단박에 알아보는 것이다.

"얼마 전에 몸살을 앓아서 그런 거야."

"몸살? 어쩌다가? 많이 아팠어?"

"괜찮았어. 사나흘 앓고 말았는걸."

음주 후 목욕에다가 고 사장이랑 야한 짓을 하는 바람에 그리되었노라고 어찌 감히 고백할 수 있으랴.

내내 먹는 둥 마는 둥 하며 산 덕분에 몸이 조금 줄긴 했지만 그래도 최근엔 살이 많이 오른 편이었다. 몸살을 앓지만 않았다면 더 좋았겠지만 그렇게 줄어든 살을 다시 먹는 것으로 보충하고 있어서 금방 예전 몸매를 회복할 수 있을 것이었다.

"아직도 아픈 건 아니지?"

"아니, 벌써 다 나았어. 말도 마. 안 그래도 그 일 때문에 네 형부가 또 보약 지어 왔어."

"형부가?"

"그렇다니까. 내가 서울에 온 덕분에 요즘은 보약을 입에 달고 살잖아."

나는 과감하게 자랑 아닌 자랑을 늘어놓았다.

입에 달고 사는 건 아니지만 보약을 먹고 있는 건 사실이니까. 몸살을 앓고 난 이후 찔리는 게 있었는지 아니면 아쉬운 게 있어서인지 고 사장은 한의사를 대동하고 와 진맥을 하게 하더니 곧 비싼 보약을 지어 대령했다. 때마다 빠뜨리지 말고 먹으라는 엄명을 내렸다.

곧 나갈 사람에게 웬 보약인가 싶었지만 때마다 진지하게 약사발을 대령하는 고 사장 때문에 안 먹을 수도 없었다. 덕분에 나는 요즘 밥도 잘 먹고 약도 잘 먹고 심지어는 아가씨랑 함께 주전부리도 했다. 너무 잘 먹고 있어서 대체 그 약의 성분이 뭔지 궁금해질 정도였다.

"형부가 잘해 주셔?"

아무래도 미심쩍은지 미주가 조심스럽게 물었다.

"그럼, 보약까지 지어다 준다니까."

"그렇구나. 다행이다. 난 혹시나 언니 구박 받고 살면 어쩌나 걱정했는데."

"얘는, 내가 구박을 왜 받아? 시부모님도 안 계신데 날 구박할 사람이 누가 있다고?"

구박은 웬 구박인가.

나는 그냥 구박할 사람도 없고 같이 노는 사람도 없는 왕따일 뿐이었다. 안팎으로 두루두루 왕따라서 지금도 거의 혼자 논다.

"그나저나 아부지는 잘 지내셔?"

찔리는 구석이 있다 보니 나는 냉큼 말꼬리를 돌렸다.

"언제 한번 가 봐야 하는데 가 볼 시간이 없어서 내가 노상 걱정이다."

"에이, 걱정 마. 잘 지내고 계셔. 언니, 그거 알아? 우리 아부지 요즘 연애한다."

"뭐, 뭐어? 누, 누구랑?"

"우리 마을 만두 공장에 다니는 아주머니인데 혼자서 아들 키우고 사는 과부래. 내려가니까 오다가다 눈 맞았다는 소문이 짜하게 나 있더라고."

마, 맙소사다.

평생 수절할 것처럼 굴더니 이제 와 뭐가 어쩌고 어쨌다고?

충격으로 입이 벌어졌다. 나는 설마하니 이런 반전이 찾아올 줄은 꿈에도 몰랐었다. 혹시라도 쌀 곁에 두고 굶을까 봐 밥하는 법까지 가르쳐 드리고 왔는데 아버지는 문제의 과부댁에게 밥시중까지 받고 사신단다. 해가 바로 내 머리위에 떠 있는 것처럼 머리통이 온통 뜨거워졌다. 뒷말은 더 이상 들리지도 않았다. 대체 이게 웬 날벼락 같은 스캔들이지?

"기가 막혀서!"

집으로 돌아오자마자 나는 얼음물부터 한 잔 들이켰다.

너무 황당해서 속이 다 뜨거웠다. 오죽하면 미주에게 같이 살자는 소리도 못하고 그냥 왔을까.

"우리 엄마는 그 고생을 하다가 죽었는데. 우리 애들한테는 용돈 한번 제대로 주신 적도 없으면서 남의 아들 용돈은 왜 대 주고 계신대?"

안 그러려고 해도 부글부글 화가 끓었다.

아버지가 평생 수절하면서 살길 바란 건 아니었다. 다만 갑작스러운 소식인데다 살림이 간신히 펴기가 무섭게 다른 사람을 찾았다는 생각이 들어 속이 상하는 것이다. 호강 한 번 못해 보고 죽은 엄마가 가엾다는 생각이 먼저 앞서기 때문에.

사실, 혼자 계실 양반 걱정만 했지 나는 이제껏 아버지에게 금방 다른 누군가가 생길 거라는 생각은 해 본 적이 없었다. 그래서 이 집에서 나가게 되면, 그리고 빚을 다 갚으면 내가 내려가 아버지를 모시고 살아야지 하는 생각을 하고 있었더랬다. 그런데 그런 내 생각을 비웃듯 아버지에겐 벌써 여자가 생기고 그것으로 모자라 그 여자의 아들까지 챙기고 있단다.

"우리 애들은 어떻게 하라고."

만일 아버지가 그 과부댁이랑 살림이라도 합치게 된다면 그땐 어찌 되는 것일까. 아버지에겐 좋은 일이겠지만 우리 애들에겐 마음 편히 지낼 곳이 없어지는 일이었다. 다 컸다는 핑계로 아버지도 소홀할 테고 새로 생긴 가족들 때문에 집에 가도 마음 붙일 곳이 없어질 것이었다.

"내가 얼른 자리를 잡아야 해. 나라도 불쌍한 우리 애들 챙기면서 살아야지."

나는 독하게 다짐을 했다.

그런 의미에서 내일은 꼭 영은이를 찾아가 보기로 마음을 먹었다. 오는 길에 몇 번이나 더 전화를 해 봤지만 계속 연결이 되지 않았기 때문에 궁금하기도 했고 무엇보다 정말로 혼자서 앓고 있을까 봐 걱정도 되었다.

"설마 나쁜 일이 있는 건 아니겠지?"

핸드폰을 만지작거리며 나는 조그맣게 한숨을 내쉬었다.

갑작스러운 소식 때문인지 오늘따라 마음 한쪽이 조금 불안했다. 덕분에 한숨이 조금 더 길어지고 말았다.

"오늘은 뭘 할 거지?"

고 사장이 내 엉덩이를 더듬으면서 속삭였다.

"그냥 집에 있을 거예요. 마, 마트에 잠깐 갈 거고요."

"음…… 그럼 저녁은 밖에서 먹을까?"

"아니에요. 서방님이랑 동서가 오기로 했어요. 오늘이 중복이잖아요. 삼계탕 할 거예요."

대답하면서 슬그머니 그의 손을 피해 냈다.

그런 다음 옷장에서 손수건을 꺼내 내밀었다. 그걸 받아 넣는 대신 이번엔 허리에 팔을 휘감았다.

고 사장, 아침부터 왜 이러시오. 출근 안 할 거요?

출근 준비를 완벽하게 마친 채로 그가 내 입술을 탐하고 있었다. 그냥 입술만 댔다가 떼는 출근용 뽀뽀가 아니라 혀가 오가는 본격적인 키스였다. 그래, 고 사장이 또 이상하다.

그날의 폭풍 같은 하룻밤 이후, 그는 갑자기 더 친절해졌다.

날이 밝기가 무섭게 보약을 지어다 바치고 꽃바구니를 보내는가 하면 어떤 때엔 입맛 없다는 한마디에 호텔 주방장이 만든 초밥이랑 메밀국수를 보내오기도 했다. 아가씨랑 동서랑 함께 있다가 그 떡 벌어진 상을 받고 내가 얼마나 당황을 했었는지 모른다.

거기까지만 해도 나는 정말 영문을 모르고 어리둥절했지만 밤엔 더 가관이었다.

나는 요즘 매일 밤마다 고 사장이랑 같이 자고 있었다.

원해서가 아니라 때만 되면 그가 손목을 잡아끄는 바람에 저절로 그렇게 되는 거였다. 그러곤 그의 곁에 누워서 밤새 시달렸다. 어찌나 보채는지 거의 죽을 지경이었다. 벌써 두 번이나 경험이 있는데 그냥 쥐 버려도 되지 않느냐고 말한다면 그거야말로 뭘 모르는 소리였다.

고 사장이 사무실에서 일하는 사람답지 않게 끝내주는 몸매의 소유자라는 건 알았지만 말이다. 나는 설마하니 체력까지 좋을 줄은 몰랐다. 내가 몸살로 사나흘이나 앓았다고 말했던가? 그래, 나 솔직히 사흘이나 누워 있었다. 처음 하루를 꼬박 앓고 나서 고 사장이랑 또 자는 바람에 이틀이 더 늘어 버린 것이다. 안심하고 잠든 나를 깨워서 새벽까지 즐겨 주신 망할 고 사장 덕분에 말이다. 세상에, 그 일이 그렇게 오래도 할 수 있는 거였더라.

'나 정말 죽다 살았소. 또 그럴 거면 차라리 날 죽이시오.'

해도 해도 끝나지 않는 그 일 덕분에 몇 번이나 까무러쳤는지 기억도 안 난다. 그래서 다음 날 바로 지어 온 보약을 받고서도 별로 기쁘지 않았다. 사실은 병 주고 약 준다고 속으로 욕을 했었다. 막말로, 지극 정성으로 간호를 하면 뭘 하나. 애초에 드러눕게 하지를 말아야지. 그런 의미에서 보자면 고 사장은 뼛속부터 아주 나쁜 놈이었다.

"추, 출근 하셔야죠."

"음."

"늦었어요."

"으음."

아니 근데 이 사람이!

따박따박 대답을 하면서도 내 가슴에서 손을 안 떼는 이유가 뭐요, 고 사장. 그리고 제발 그만 좀 씹으시오. 귓불 떨어지겠소.

"빠, 빨리 나가세요."

두 손으로 그를 힘껏 밀어내면서 나는 조금 짜증을 부렸다.

"안 그래도 요즘 출근이 늦으신다고 김 실장님한테 한 소리 들었단 말이에요."

"괜찮아."

"안 괜찮아요. 전 그분 무, 무섭단 말이에요."

하도 첫인상이 강렬해서 그런지 나는 아직도 고씨 집안의 남자들은 물론이고 고 사장의 측근들까지도 죄다 무서웠다.

은행원이라면서 어쩌면 분위기들이 하나같이 그렇게 살벌할 수 있는 건가. 오늘은 얼마가 올랐네, 내렸네 하다가도 돈 떼어먹고 튄 놈들 이야기가 나오면 바로 눈에 살기를 품었다. 순둥이 같은 얼굴의 운전기사 김재인 씨조차도 돌변해서 주먹을 불끈 쥐는 정도였다. 심지어 그 사람은 취미가 프로레슬링 관람이란다.

"얼른 나가세요."

"⋯⋯."

"늦었다고요."

나더러 뭘 어쩌라고 그렇게 진지하게 바라보고 그러시오.

아무리 어느 때보다 부드럽게 풀려 있다고는 하지만 나는 여전히 그가 무서웠다. 특히 지금처럼 입매를 굳히고 진지하게 바라볼 때면 더더욱. 마치 화내기 일보 직전인 것 같아서 나도 모르게 안절부절못하게 된단 말이다. 때때로 눈썹까지 곤두세우면 울고 싶은 기분도 들었다.

그런 이유로 이번에도 안절부절못하다 나는 가까스로 용기를 냈다. 발꿈치를 들고 그의 입술에 조심스럽게 입을 맞추었다. 와락! 닿기가 무섭게 그의 팔이 다시 허리를 휘감고 바짝 끌어당겼다. 입안 가득 혀가 들어오고 가슴과 엉덩이엔 차례로 그의 손이 다녀갔다. 그러고도 한참만에야 떨어졌다. 자의가 아니라 밖에서 기다리고 있던 김 실장님의 전화를 받은 후였다. 마지못한 듯 발을 질질 끌면서 나가는 그의 모습이 얼마나 가소로웠는지 모른다.

"이러다 닳는 것 아냐?"

욱신거리는 가슴을 끌어안고 나는 혼자서 중얼거렸다. 그러자 뒤에서 새로 온 도우미 아주머니가 소리 죽여 웃었다. 몰랐는데 이제까지 다 지켜보고 있었나 보다.

"신혼 땐 원래 다 그런 거예요. 아무리 그래도 닳을 일은 절대로 없으니까 저렇게 보챌 때 주세요. 안 그러면 딴 데 가서 해결할지도 모르잖아요."

"서, 설마요."

"그 설마가 사람을 잡는답니다. 사장님 같은 분은 유혹도 많이 받을 테니까 더 위험하잖아요. 그러니까 집에서 미리미리 손을 써 두어야지요."

소, 손을 쓰긴 무슨 손을 쓴다는 건가.

얼굴이 벌겋게 달아올랐다. 새로 온 도우미 아주머니는 다 좋은데 쓸데없는 충고가 많아서 탈이었다. 애를 가져야 금슬이 더 좋아진다거나, 고 사장에게 정력에 좋은 보양식을 챙겨 주라는 등 때마다 내게 코치 아닌 코치를 하고 있었다.

"지금만 해도 충분히 힘들어 죽을 지경인데 누굴 잡으려고 보양식까지 챙겨 먹인담."

자기가 고 사장이랑 응응을 해 봤나? 안 해 봤으면 말을 하지 말아야 한다.

주변의 말도 안 되는 억측으로 인해 안 그래도 억울한 거 많은 윤미숙 인생이 더 억울해지는 일만은 없어야 할 것 아닌가.

표 안 나게 입술을 삐죽여 주고 나는 잠깐 텃밭으로 나가 보았다. 한여름이라 고추도 오이도 가지도 쑥쑥 자라고 있었다. 잘 자라고 있는 내 푸성귀들을 흐뭇하게 바라보다가 풀을 조금 뽑아 준 다음 침실을 정리했다. 그러다 대강 마무리를 하기가 무섭게 슬슬 외출 준비를 시작했다. 어제 결심한 대로 영은이를 찾아가 볼 생각이었다.

"외출하십니까?"

어쩐 일로 김재인 씨가 밖에서 기다리고 있었다.

고 사장이 차를 사 주긴 했지만 지하철이 더 편하다는 이유로 딱히 이용할 일이 없어서 내 대신 혼자서 차를 타고 다니는 사람이었다. 이름은 운전기사지만 사실은 내가 제일 무서워하는 그 김우인 실장의 동생이자 보디가드였다. 내게 왜 보디가드가 필요한 건지는 아직도 모르겠지만 말이다.

"잠깐 친구 집에 다녀오려고요. 근데 웬일이세요?"

"아, 그게 이것 때문에······."

수줍게 웃으면서 그가 차 안에서 작은 쇼핑백을 꺼내 내밀었다.

"뭔데요?"

"사장님께서····· 크흠, 보내셨습니다."

그래, 김재인 씨는 요즘 운전기사나 보디가드 일 대신 이런 일을 한다. 박씨를 물어온 흥부네 제비처럼 고 사장이 보내는 작은 선물들을 족족 날라다 주는 마음 착한 청년이었다.

"자꾸 이런 일하게 해서 너무 죄송해요."

"하하, 아닙니다. 저도 즐겁습니다. 아, 이왕 나가시는 길이니까 오늘은 모처럼 차를 타고 가시죠."

"괜찮아요. 저 이젠 지하철 탈 줄 알아요."

"하하하. 압니다. 그래도 어차피 나가는 거 조금 더 편하게 가면 더 좋잖습니까. 자, 가시죠."

착한 청년, 그대 이름은 김 기사로세.

이렇게 서글서글한 인상에 마음도 비단결 같은 총각이 그 살벌한 김 실장의 쌍둥이 동생이라는 사실이 나는 아직도 믿어지지 않았다. 인상은 물론 덩치부터가 판이하게 다르기도 하고. 이런 생각을 하면 안 되겠지만 혹시 둘 중 하나는 주워 온 거 아닐까?

'그럴 리가.'

안타까운 마음에 해서는 안 되는 생각까지 하면서 나는 남몰래 한숨을 삼켰다. 그러다 고 사장의 선물이 궁금해서 조심스럽게 쇼핑백 안을 들여다보았다.

"이게 뭐지?"

까맣고 부들부들한 천 뭉치가 보였다. 그리고 금빛으로 반짝이는 작은 카드도 하나 나왔다.

오늘 밤, 기대해도 되나?

으응? 오늘밤? 뭘 기대한다는 거지?

의아한 마음에 까만 천 뭉치를 꺼내 보았다. 가릴 곳은 다 보이고 안 가려도 될 곳은 잘 가려 주게 생긴 야시시한 잠옷이 나왔다. 단언하건대, 동서가 사다 준 것보다 더 야하게 생겼다.

꿀꺽.

얼굴이 확 달아올랐다.

그러니까 뭐시냐. 나더러 오늘밤 이걸 입어 달라는 소리더냐?

고 사장, 내가 다시 와인 한 병을 털어야겠소?

허겁지겁 도로 챙겨 넣고 나는 혼자서 떨었다. 아무래도 그가 단단히 작심을 한 모양이었다. 가만! 그러고 보니 오늘 저녁 메뉴는 삼계탕이다. 설마 그것 먹고 힘을 내겠다는 뜻?

'오 마이 갓!'

얼굴에서 핏기가 가셨다.

나 이제 어찌해야 하나. 차라리 영은이네 집에서 하룻밤 신세를 질까? 아니면 아가씨랑 동서에게 자고 가라고 할까? 필사적으로 머리를 굴렸지만 뾰족한 방법이 떠오르지 않았다. 마음이 복잡했다. 고 사장이 이러는 이유를 점점 더 모르겠다.

'나가라고 해 놓고 자꾸 왜 이러지? 이 사람이 대체 무슨 생각을 하는 거야? ……혹시 그사이 내가 좋아졌나?'

두근!

내가 생각해 놓고도 가슴이 떨렸다.

만일, 그게 사실이라면 어떻게 하지? 나도 좋은데 고 사장도 나 좋은 거라면 그땐 정말 어떻게 해야 하나. 나는 아직 사방이 적이고 모임에서 왕따고 공부할 것도 태산에다 그에게 딱히 도움이 되지도 못하는데 그래도 좋은 거라면?

'진짜 그런 거면 어떻게 해야 해? 아, 숨 막혀. 고백을 해 볼까? 나가기 전에 좋아한다고 말해 보는 것도 나쁘지 않을 텐데.'

나에게도 욕심이 있었다.

처음엔 없었는데 최근에 생겨 버렸다. 다른 건 몰라도, 집을 떠나기 전에 그에게 고백을 하는 것이었다. 사실은 좋아한다고, 아니 사랑한다고. 그래서 짧았지만 그와 함께 지내는 일이 행복했다고 말해 주고 싶었다.

다른 욕심이 있는 것은 아니었다.

나를 위해서 그냥 그런 말 정도는 해 주고 싶었다. 그에게 금방 잊혀지고 싶지 않으니까. 마음 같아서는 지금 당장 고백하고 싶었지만 차마 그러지 못하는 것은 혹시 그가 오해할까 봐 두려워서이다. 나는 아직 빚쟁이니까 지금 그러는 건 어쩐지 정당하지 못한 일 같았다.

'영은이에게 돈을 받아 얼마라도 빚을 갚고 나면 말할 수 있을까? 그래도 될까?'

희망 사항이지만 그렇게 되었으면 참 좋겠다.

요즘 그가 하는 행동들 때문에 살짝 기대가 되기도 했지만 그보다는 내 마음을 그가 알아주었으면 싶어서다. 돈 때문이 아니라 사랑하기 때문에 그랑 잤다는 사실을 알아주었으면 좋겠다. 무얼 더 바라는 것이 아니라 그냥 알아주기만 해도 좋을 것 같았다.

고민하는 사이 차는 벌써 내가 찾는 동네로 접어들고 있었다. 대로변에 높고 낮은 건물들이 다닥다닥 붙어 있는 곳이었다. 건물도 많고 골목도 많아서 엄청 복잡해 보였다.

"이 부근이 맞습니까?"

"네, 네! 여기 어디쯤이었어요."

두루뭉술한 내 대답에 그가 고개를 작게 갸웃거렸다.

"정확하게 아시는 게 아닌 거죠?"

"그래도 찾아갈 수 있어요. 근처에 커피숍이 있거든요."

"커피숍 이름은요?"

"아, 아망떼였던 것 같아요."

내 기억에 의하면 아마도 그런 이름이었던 것 같다.

무슨 뜻인지는 모르겠지만 발음이 예뻐서 기억하고 있었다. 내 대답에 재인 씨가 차에 달린 네비게이션을 툭툭 두드렸다. 다행히 틀린 건 아니라서 네비게이션은 거의 변두리쪽에 자리 잡고 있는 그 가게를 잘도 찾아냈다.

"가게를 지나서 조금 더 내려가면 호프집이 있고요, 거기 골목 안쪽에 단층집이 있어요. 까만 대문이요. 대로 맞은편은 공사 중인 아파트 단지고요."

"네에, 가시죠."

"저, 저기 이젠 혼자 갈 수 있는 데요?"

"이왕 온 길이니까 집 앞까지 모셔다 드리고 가겠습니다. 제가 조금 한가해서요."

그렇게까지 말하자 나도 거절을 할 수가 없었다. 그를 한가하게 만든 건 다름 아닌 바로 나니까. 하는 수 없이 내가 앞장을 서고 그가 뒤를 따랐다. 기억하는 대로 커피숍을 지나 호프집이 있는 골목으로 접어들었다.

"여기예요."

반짝거리는 하늘색 대문을 가리키며 내가 소리쳤다.

칠을 입힌 지 얼마 되지 않아 사방에 떨어진 하늘색 페인트 자국이 아직 선명했다. 전엔 까만색이었는데 바뀐 걸 보면 내가 다녀간 후에 새로 칠을 한 모양이었다.

"이젠 가서도 돼요."

"들어가시는 거 보고 가겠습니다. 아니, 기다렸다가 집까지 모셔다드리는 게 좋겠습니다."

"아, 안 그러셔도 되는데요."

"여기 유흥가입니다. 혹시 늦으실 수도 있는데 위험합니다."

"금방 일어날 거예요."

"그럼 기다리겠습니다. 금방이니까."

"네에."

응? 뭐지, 이 당한 기분은?

어쩐지 낚인 기분이 들었다. 이제 보니 박씨 물어다 주는 제비가 아니라 낚시꾼이었나 보다. 대문을 향해 쭈뼛거리면서 다가가다 슬쩍 돌아보자 그 곰 같은 덩치가 어느새 팔짱까지 척 끼고 대문을 등지고 서 있었다. 듬직한 건지 무서운 건지 나도 구분이 안 가려고 했다.

"어쩌다 이렇게 됐지?"

갸웃 고개가 돌아갔다. 하지만 그것도 잠깐뿐이었다. 그보다는 당장 영은이와의 일이 더 급했으니까.

"계세요?"

초인종이 없어서 손으로 대문을 두드렸다. 그러자 한참 만에 대문이 열리더니 안에서 부스스한 몰골의 웬 아기 엄마가 나왔다. 처음 보는 사람이었다.

"무슨 일이세요?"

자다가 깼는지 짜증이 가득한 얼굴로 그녀가 나를 노려보았다.

"저어, 영은이를 찾아왔는데……. 혹시 아세요?"

"누구요?"

"하영은이라고 제 또래인데요."

"아! 도망갔다는 그 옆방 여자."

"네? 도망을 가다니요?"

영문 모를 소리에 나도 모르게 눈이 동그래졌다. 영은이가 도망을 가다니. 왜?

"혹시 다른 사람이랑 착각하신 거 아니에요?"

"착각은 무슨. 주식인가 뭔가 한다는 여자 아니에요?"

"마, 맞긴 한데."

"그 여자 주식한다고 여기저기에서 돈 빌려 투자했다가 다 날리고 여기 방세도 석 달 치나 떼먹고 도망갔어요. 안 그래도 사흘 전부터 돈 떼인 사람들이 찾아와서 울고불고 하는 바람에 우리도 시끄러워 죽겠다고요."

"서, 설마……."

"글쎄, 설마가 아니라니까요. 안 믿어지면 방에 한번 가 봐요. 벌써 싹 들고튀었으니까. 꼴에 명품이니 뭐니 잔뜩 달고 다니더니 가구는 버려도 그건 못 버리겠던지 다 챙겨서 갔더라고요. 근데 그 여자랑은 무슨 사이예요? 혹시 그쪽도 돈 떼인 거 아니에요?"

한순간에 창백해진 내 얼굴을 보고 그녀는 탁 감을 잡았다는 듯 떠들었다.

"아이고, 그런가 보네. 쯧쯧, 딱해서 어쩐대. 그나마 남은 것도 다른 사람들이 벌써 집어 가서 가져갈 것도 없을 텐데."

걱정인지 비아냥거림인지 구분할 수 없는 소리를 뒤로하

고 나는 실성한 듯 천천히 대문 안으로 몸을 밀어 넣었다. 집 안은 생각보다 복잡해 보였다. 좁은 마당을 사이에 두고 네 개의 방이 다닥다닥 붙어 있었는데 그중 가장 끝에 있는 방 이 바로 영은이가 지내던 곳이라고 했다.

나무로 만들어져 조금 부실해 보이는 문을 슬쩍 밀자 제대 로 잠기지도 않은 문이 금방 스르르 열렸다. 발자국이며 부 서진 약간의 가구와 옷가지 따위로 온통 난장이 된 방바닥이 먼저 보였다. 인기척은 물론 한여름임에도 불구하고 온기 한 점 찾아볼 수 없는 컴컴한 공간이 눈에 들어왔다.

"세상에!"

더 찾고 자시고 할 것도 없이 좁은 방이었다.

가구라곤 홀떡 열린 옷장과 작은 화장대 하나가 전부였고 한쪽엔 화장실도 없이 그저 간이 싱크대만 두어 개가 달려 있을 뿐이었다. 그나마도 냄비는 가스레인지 위가 아니라 방 바닥에서 뒹굴고 있었다. 여기가 정말 영은이가 살던 곳이 맞는 건가?

퍼뜩 의심이 들었다.

당연한 일이었다. 영은이는 화려한 걸 좋아했다. 차림도 화려하고 취향도 화려해서 절대로 이런 곳을 좋아할 타입이 아니었다. 늘 비싼 가방을 들고 다니고 비싼 곳만 다녔으며 씀씀이도 커서 몇 만 원짜리 물건쯤은 우습게 사 줄 정도였 다. 그래서 종종 나의 촌스러운 꼴과 궁상스러운 형편에 대해 잔소리를 퍼붓곤 했었다. 지금 내가 들고 다니는 가방도 영은이가 사 준 거다.

"아닐 거야, 그럴 리가 없어."

어쩌면 잘못 찾아온 것일지도 모른다는 생각이 들었다.

생각해 보니 대문 색깔이 달랐다. 그래, 맞다. 내가 또 착각해서 전혀 다른 집으로 온 것이거나 옆방 여자가 무언가를 잘못 알고 있는 게 분명했다. 혹은, 그냥 더 좋은 곳으로 이사를 간 것뿐인데 억한 심정에 거짓말을 하고 있는 것일 수도 있었다.

아무튼, 영은이는 그런 애가 아니었다.

모르는 사이도 아니고 우리는 같은 고향에서 나고 자란 친구였다. 중학교, 고등학교도 같이 다녔다. 절대로 내게 나쁜 짓을 할 그녀가 아니었다.

그런 생각을 하면서도 한편으로는 점점 더 겁이 나서 죽을 것 같았다.

만약에 사실이면 어쩌나. 그럴 리는 없지만 옆방 여자의 말처럼 그동안 내가 보아 온 영은이의 모든 것이 거짓이라면, 그땐 어떻게 해야 하는 것일까.

덜덜 떨면서 나는 흡사 쓰레기장 같은 방 안을 빙빙 맴돌았다. 그러다 마치 경기를 하듯 다시 핸드폰을 꺼내 들고 전화를 걸기 시작했다. 영은이랑 통화를 하고 싶었다. 무슨 사정인지는 모르겠지만 나한테 만큼은 제대로 설명을 해 줄 거라고 믿으면서.

뚜르르르…… 뚜르르르…….

벨소리가 길게 이어지고 있었다. 그런데 소리가 전화기 안에서도 들리고 밖에서도 들렸다. 놀라서 방 안을 두리번거리다 난잡하게 어질러져 있는 옷가지 밑에서 희미한 빛이 새어 나오는 것을 발견했다. 몇 번 보아 온 영은이의 핸드폰이었다. 기가 막힌 심정으로 열어 보니 100통도 넘는 부재 중 전화와 온갖 욕설로 도배 된 문자가 수도 없이 쌓여 있었다.

툭!

손에서 힘이 빠져나갔다.

충격으로 얼어붙어 있던 눈물도 그제야 쏟아지고 다리도 풀렸다. 그 방에서 나는 한동안 멍하니 주저앉아 있었다. 하늘이 무너지는 소리가 들렸다. 나의 하늘은 종잇장처럼 얇기 이를 데 없어서 하루에도 몇 번이나 무너졌다 다시 세워지곤 했지만 이번만큼은 정말로 무너져 버린 것 같았다.

"네가 어떻게, 네가 어떻게!"

나는 절망적으로 소리쳤다.

하루아침에 돈을 잃고 친구를 잃고 꿈도 잃어버렸다. 아무래도 내가 벌을 받고 있나 보다. 주제도 모르고 너무 큰 것을 바라서 다 잃은 것이다. 잠깐이지만 나는 돈도 얻고 사랑도 얻는 꿈을 꾸고 있었다. 내 평생 그런 행운이 찾아온 적은 없었는데 한순간일망정 그게 가능할 거라고 생각했다니.

"윤미숙, 이 바보!"

영은이가 미웠다. 하지만 그전에 내가 더 미워서 죽을 것 같았다. 이제 나는 어떻게 되는 것일까. 고 사장에게는 뭐라고 이야기를 해야 하나. 우리 미주랑 미준이, 집에서조차 천덕꾸러기 신세가 되면 어쩌나.

파도처럼 온갖 고민이 밀려왔다 밀려갔다.

그때까지도 나는 돌처럼 앉아 멍하니 천장만 보고 있었다. 차라리 정신이라도 잃었으면 좋겠는데 시간이 갈수록 머릿속은 점점 더 깨끗해지기만 했다. 그렇게 한참을 앉아만 있다 나는 힘없이 자리에서 일어섰다.

"이제 나오십니까?"

계속 기다리고 있던 재인 씨가 반색을 하고 맞았다.

"안에서 무슨 일 있었습니까?"

"네? 아, 아니요."

"얼굴빛이 아까보다 안 좋으신 것 같은데요."

"피곤해서 그런가 봐요. 중복이라고 너무 덥네요. 이럴 줄 알았으면 안 나오는 건데."

변명 아닌 변명을 하면서 나는 씁쓸하게 웃었다.

이 순간에조차 이럴 수 있다는 사실이 너무 어이없었지만 어차피 다른 말을 할 기력도 없었다. 더 입을 열면 눈물이 먼저 쏟아질 것만 같아서 나는 그대로 입을 다물어 버렸다. 차를 타고 돌아오는 내내 나는 계속 시체처럼 늘어져 있었다.

이대로 딱 죽었으면 좋겠다는 생각을 하면서도 몸은 어느새 예정된 일을 찾아 하기 시작했다. 고 사장에게 말했던 것처럼 나는 오는 길에 마트에 들러 저녁거리를 샀다. 병자처럼 시커멓게 죽은 얼굴로 멍하니 닭을 고르고 밤도 몇 알 샀다. 왜 사는지도 모르고 그냥 샀다.

"어라? 아줌마가 여긴 웬일이에요?"

큼직한 비닐봉지를 들고 휘청휘청 마트를 나서는데 마침 들어오던 애심 씨가 나를 발견하고 아는 척을 했다.

전이라면 그냥 무시하고 지나갔을 텐데 그래도 한때 2대 6으로 같이 싸운 동지랍시고 다가와 말을 걸었나 보다. 비행 스케줄이 있는 날인지 고운 승무원복을 차려입고 있었다.

"오랜만이에요, 애심 씨. 비행 나가요?"

"아니요. 나갔다 돌아오는 길이에요. 근데 얼굴이 왜 그 모양이에요? 어디 아파요?"

그 소리에 나는 멍하니 얼굴을 쓸어 보았다.

손이 문제인지 아니면 얼굴이 문제인지 그냥 뻣뻣하기만 한 것이 어째 살아 있는 사람의 피부처럼 느껴지지 않았다.

"왜요? 이상해 보여요?"

"네. 곧 죽을 사람처럼 창백한데요. 그러고 다니지 말고 아프면 병원 가요. 또 쓰러져서 은후 오빠 고생시키지 말고."

"네에."

나는 조금 씁쓸하게 웃었다.

누군가를 만나고 있다는 소리를 들었는데 그럼에도 불구하고 그녀의 세계는 여전히 고 사장을 중심으로 돌고 있는 모양이었다. 불행인지 다행인지 이제는 잘 모르겠다. 바보처럼 웃고만 있자 그녀가 새침하게 덧붙였다.

"옷도 좀 잘 입고 다니고 화장도 하고 그러란 말이에요. 사람들 눈도 있는데 그러고 다니면 오빠가 좀 창피하지 않겠어요? 오빠랑 하나도 안 어울려 보인다고요."

"네에."

그녀의 말이 맞다.

나는 고 사장이랑 하나도 안 어울린다. 처음부터 알고 있는 사실이었다. 알고는 있었는데 그래서 스스로 납득하고 인정도 했는데 이제 와 왜 이렇게 마음이 아픈지 모르겠다. 왜 이러는 것일까. 더 이상 그의 곁에 남을 수 없게 되고만 상황에서도 나는 대체 무슨 꿈을 꾸고 있는 것일까.

속으로만 철철 울면서 나는 집으로 돌아왔다.

죽을 듯이 돌아다니면서 온 집 안을 바지런히 쓸고 닦았다. 텃밭에서 신선한 푸성귀도 얼마쯤 솎아 온 다음 약속대로 삼계탕을 푹 고아 내기도 했다.

쉴 새 없이 일을 하는 와중에도 속에선 끊임없이 피눈물이 흐르고 있다는 것을 생생하게 느끼고 있었다. 아끼고 모은 전 재산을 잃은 것도 속이 상하고 믿었던 친구에게 배신을 당한 것도 아팠다. 그런데도 나를 제일 슬프게 하는 것은, 고 사장에게 아무 말도 할 수 없게 되었다는 사실이었다. 당장 돈을 갚을 수 없게 되었다는 비참한 말 말고는 아무 말도 할 수 없었다.

〈 '선본 남자' 3권에서 계속〉

선본남자

1판 2쇄 찍음 2012년 1월 2일
1판 2쇄 펴냄 2012년 1월 5일

지은이 | 단　영
펴낸이 | 정　필
펴낸곳 | 도서출판 **뿔미디어**

기획총괄 | 이주현
기획 | 손수화
편집장 | 이재권
편집책임 | 주종숙
편집 | 심재영, 문정흠, 이경순, 이진선
관리, 영업 | 김기환, 임순옥

출판등록 | 2002년 9월 11일 (제1081-1-132호)
주소 | 부천시 원미구 상3동 533-3 아트프라자 503호 (우)420-861
전화 | (032)651-6513 / 팩스 (032)651-6094
E-mail | BBULMEDIA@daum.net
카페 | http://cafe.daum.net/scarletR

값 8,500원

ISBN 978-89-6639-248-3 03810
ISBN 978-89-6639-246-9 03810 (세트)